GUIDEXPO

D0588485

Photoshop Adobe® ® 5.5

www.microapp.com

||| **Micro**
Application

| Copyright | © 2000 | Data Becker GMBH & Co KG
Merowingerstr. 30
40223 Düsseldorf | © 2000 | Micro Application
20-22, rue des Petits-Hôtels
75010 Paris |

Edition Janvier 2000

Auteur Michael **GRADIAS**

Traduction Danielle **LAFARGE** / Jean-Marc **MOSTER**

ISBN : 2-7429-1698-9
Réf DB : 441288

FRANCE - MICRO APPLICATION
20,22 rue des Petits-Hôtels
75010 PARIS
Tél : (01) 53 34 20 20 - Fax : (01) 53 34 20 00
http://www.microapp.com
Support Technique :
Tél : (01) 53 34 20 46 - Fax : (01) 53 34 20 00
E-mail : info-ma@microapp.com

BELGIQUE - EASY COMPUTING
Chaussée d'Alsemberg, 610
1180 BRUXELLES
Tél. : (02) 346 52 52 - Fax : (02) 346 01 20
http://www.easycomputing.com

CANADA - MICRO APPLICATION Inc.
1650 Boulevard Lionel-Bertrand
BOISBRIAND (QUÉBEC) - J7H 1N7
Tél. : (450) 434-4350 - Fax : (450) 434-5634
http://www.microapplication.ca

SUISSE - HELVEDIF SA
19, Chemin du Champ des Filles
CH-1228 PLAN LES OUATES
Tél. : (022) 884 18 08 - Fax : (022) 884 18 04
http://www.helvedif.ch

MAROC - CONCORDE DISTRIBUTION
8, rue Jalal Eddine Essayouti - Rés. "Le Nil"
Quartier Racine - CASABLANCA
Tél. : 239 36 65 - Fax : 239 28 45

ALGÉRIE - AL-YOUMN (Media Sud)
Bât. 23, N° 25 cité des 1 200 Logements
El khroub W/CONSTANTINE
Tél. - Fax : (04) 96 18 69
e-mail : al-youmn@aristote-centre.com

ILE DE LA RÉUNION -
ISYCOM SA SAUVEUR CACOUB
130 Ruelle Virapin
97440 SAINT ANDRE - ILE DE LA RÉUNION
Tél. : 02 62 58 41 00 - Fax : 02 62 58 42 00
Tél. : 01 48 78 12 47 - Fax : 01 40 82 92 34

AVANT-PROPOS

La collection *GUIDEXPRESS* propose une formation directe sur un thème précis, matériel ou logiciel. Elle s'articule autour d'exemples concrets, accompagnés d'un minimum de lecture. Les ouvrages de la collection sont basés sur une structure identique :

- Chaque chapitre est repéré par une couleur distincte, signalée dans le sommaire.

- Les étapes pratiques, numérotées, figurent dans un encadré de la couleur du chapitre. Elles sont ainsi immédiatement repérables.

- Les étapes essentielles sont accompagnées par une image. Pour un accès rapide à l'information, le texte est relié à l'illustration par une ligne en pointillés.

- Les informations complémentaires sont présentées dans un encadré indépendant.

Conventions typographiques

Afin de faciliter la compréhension des techniques décrites, nous avons adopté les conventions typographiques suivantes :

- **Gras** : menu, commande, onglet, bouton.

- *Italique* : rubrique, zone de texte, liste déroulante, case à cocher.

- Courrier : texte à saisir.

 Retrouvez tous les fichiers exemple de l'ouvrage sur la zone *Téléchargement* du site Micro Application : www.microapp.com.

Sommaire

Introduction

Photoshop 5.5 est un programme performant et fascinant permettant de réaliser toutes les tâches propres à la retouche d'images.

Cet ouvrage présente ces tâches étape par étape à l'aide d'exemples faciles à exécuter. Vous pourrez alors vous rendre compte que la retouche d'images n'a rien de magique, même si le résultat en donne parfois l'impression.

Les exemples peuvent être reproduits à partir d'images quelconques. Mais, si vous voulez utiliser les images des illustrations de cet ouvrage, consultez le site de Micro Application à l'adresse http://www.microapp.com. Cliquez sur **support technique** puis **mis a jour**. Vous pourrez y télécharger la plupart des images utilisées dans nos exemples afin de suivre nos explications pas à pas.

Lorsque vous vous serez familiarisé avec les techniques offertes par Photoshop 5.5, vous pourrez consulter le Grand Livre consacré à ce logiciel.

En attendant, j'espère que vous passerez des heures agréables en la compagnie de cet ouvrage et de Photoshop.

Michael Gradias

Qu'est-ce que Photoshop ? Qu'est-ce que la retouche d'images ?

Photoshop 5.5 est installé sur votre ordinateur mais vous ne savez pas bien l'utiliser ? Nous allons vous expliquer à quoi sert ce programme et quelles sont les tâches qu'il vous permet d'exécuter.

Examinons tout d'abord l'interface utilisateur avec un document ouvert. Cette interface fournit déjà quelques indices sur les fonctionnalités de Photoshop.

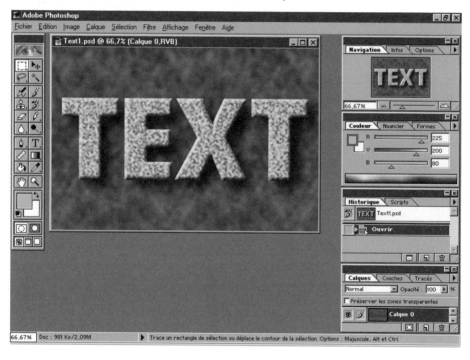

Il s'agit d'un programme de dessin ou programme graphique. Toutefois, nous allons vous expliquer ci-après pourquoi cette désignation n'est pas tout à fait correcte.

Les différents programmes graphiques

Les programmes graphiques actuels sont divisés en deux catégories. Les programmes de dessin vectoriel, tels que CorelDraw, permettent de créer des images graphiques, comme des cartes de visite ou des affiches. Chaque élément, ou objet en jargon technique, du dessin peut être modifié à tout moment par un clic de la souris. Revers de la médaille : la construction préalable de tous les objets est nécessaire ! Or, cette étape peut être très fastidieuse.

Qu'est-ce qu'un programme de retouche d'images ?

La seconde catégorie de programmes graphiques, à laquelle Photoshop appartient, regroupe les programmes de retouche d'images. Ils fonctionnent totalement différemment des programmes de dessin vectoriel. En général, une photo sert de point de départ au travail. Elle peut avoir été scannée ou prise avec un appareil photo numérique ou encore provenir d'un CD de photos.

Ces programmes ne fonctionnent en principe pas à partir d'objets mais à partir des pixels de l'image. Qu'est-ce que c'est ?

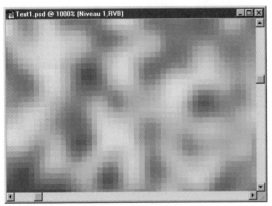

Normalement, vous ne pouvez pas voir les pixels. Toutefois, si vous agrandissez fortement l'image, sa structure apparaît.

Cette illustration présente l'agrandissement de l'image précédente. Vous pouvez constater que l'image se compose d'une multitude de petites cases nommées pixels. Normalement, ces pixels sont invisibles car ils sont si petits que l'œil humain ne peut les déceler.

Le rôle des programmes de retouche d'images

Une fois faite cette découverte, la réponse à notre question ne saurait tarder. Contrairement aux programmes de dessin vectoriel, les programmes de retouche d'images, tels que Photoshop, vous permettent de modifier les pixels de l'image.

Vous pouvez les effacer, en modifier la couleur ou en ajouter de nouveaux.

Vous ne voyez rien là d'extraordinaire ? Attendez d'avoir parcouru l'ensemble de cet ouvrage ! Si les fonctions en soi ne sont pas étonnantes, le résultat en revanche l'est. De nombreuses fonctions permettent d'exécuter les différentes tâches.

Beaucoup de pixels = bonne qualité et beaucoup de problèmes

La retouche d'images bitmap obéit à une règle fondamentale, à savoir : plus l'image contient de pixels et meilleure est sa qualité. Examinons de nouveau l'image illustrée précédemment.

À votre avis, combien de pixels sont contenus dans cette image ?

Réponse : 334 648 ! 709 dans le sens de la largeur et 472 dans celui de la hauteur. La multiplication de ces chiffres permet d'obtenir le nombre total de pixels. La première hypothèse du titre est donc prouvée : la qualité est bonne.

D'où viennent alors les problèmes ? Précisément du nombre élevé de pixels qui exige un espace disque important. Ainsi, cette petite image de 7 x 5 cm occupe plus de 1 Mo sur le disque dur !

INFO

Attention aux grandes images

De la grandeur de l'image dépend l'importance des problèmes. Non seulement un espace disque volumineux est nécessaire, mais les performances de l'ordinateur et la mémoire RAM sont également mises à rudes épreuves. Si vous voulez travailler efficacement avec Photoshop, installez tout d'abord les composants matériels appropriés sinon la tâche risque d'être ardue !

Installer Photoshop

Avant de commencer véritablement à travailler, vous devez installer Photoshop. L'installation s'effectue généralement sans problème et très rapidement.

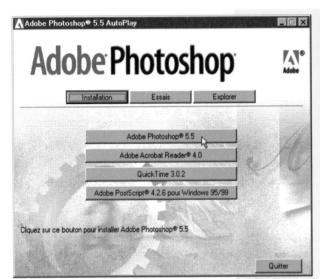

1 Lorsque vous insérez le CD-Rom, le menu suivant s'affiche automatiquement. Cliquez sur le bouton **Adobe Photoshop 5.5.**

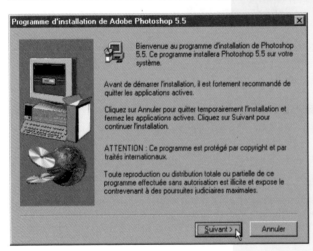

2 L'assistant d'installation est alors lancé. Cliquez sur le bouton **Suivant** pour afficher la boîte de dialogue suivante.

3 La deuxième boîte de dialogue vous propose de sélectionner la langue. Vous êtes ensuite invité à indiquer le type d'installation de votre choix. Nous avons choisi l'option *Personnalisée*. Elle vous permet de choisir les composants que vous souhaitez installer.

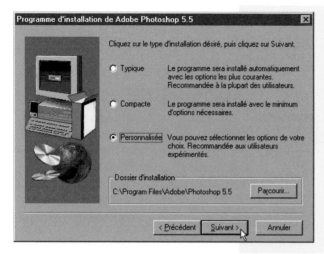

Indiquez également le dossier dans lequel vous voulez enregistrer le programme. Le bouton **Parcourir** vous permet de changer le dossier proposé par défaut.

Supprimer l'ancienne version de Photoshop

Si une précédente version de Photoshop est installée sur votre ordinateur, elle ne sera pas affectée par l'installation de Photoshop 5.5. Le nouveau programme est en effet enregistré dans un nouveau dossier. Pour vous débarrasser de l'ancienne version, supprimez le dossier correspondant ou utilisez le programme de désinstallation.

4 La boîte de dialogue suivante vous permet de sélectionner les composants que vous souhaitez installer. Elle vous indique l'espace disque requis par l'installation des composants sélectionnés ainsi que l'espace disponible sur votre disque dur.

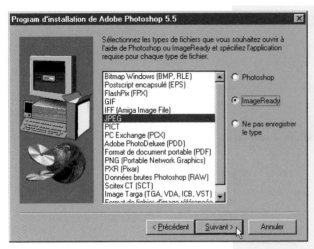

5 À l'étape suivante, vous pouvez lier les fichiers de votre choix à Photoshop ou à ImageReady.

6 La boîte de dialogue suivante vous demande d'indiquer votre nom ou celui de votre société ainsi que le numéro de série du logiciel. Ce dernier est inscrit sur le boîtier du CD-Rom et sur la carte d'enregistrement.

Photoshop ne permet malheureusement pas de définir l'installation de manière plus détaillée. Il serait intéressant, par exemple, de pouvoir sélectionner les filtres.

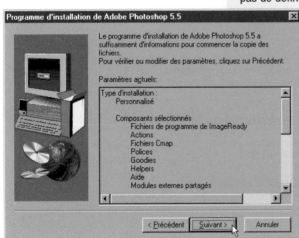

7 La dernière boîte de dialogue établit le récapitulatif de toutes les options sélectionnées. Si vous constatez une erreur, il est encore temps de la corriger : retournez à la boîte de dialogue correspondante à l'aide du bouton **Précédent**.

Où se trouve le programme Photoshop ?

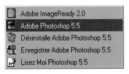

Lors de l'installation, Photoshop insère automatiquement une nouvelle entrée dans le menu **Démarrer** de Windows. Recherchez-la dans le groupe de programmes après l'entrée *Adobe*.

Outre l'icône du programme, ce groupe comporte des icônes permettant de désinstaller et d'enregistrer Photoshop, ainsi qu'un fichier Lisez-moi contenant des informations complémentaires.

Les ingrédients des CD-ROM Photoshop

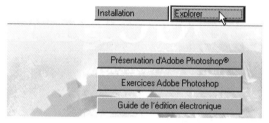

N'hésitez pas à jeter un coup d'œil au second CD-ROM Photoshop. Il contient un didacticiel très instructif, ainsi que des exemples relatifs à divers sujets.

Un écran d'accueil apparaît aussi lors de l'insertion du second CD-ROM. Cliquez sur le bouton **Explorer**.

Les séquences vidéo du didacticiel se présentent sous la forme de fichiers graphiques Adobe Acrobat Reader. La navigation commence à partir d'un document de départ.

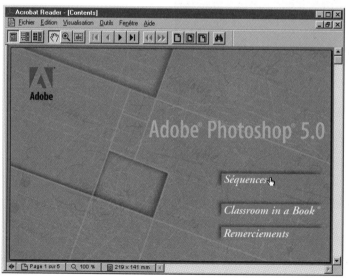

L'une des séquences relatives au thème "Notions élémentaires sur les calques" est illustrée ci-contre.

Qu'est-ce que Photoshop ? Qu'est-ce que la retouche d'images ?

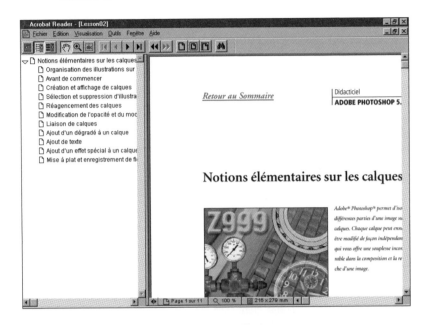

Les séquences vidéo que vous pouvez visualiser par un clic sur le bouton **Présentation d'Adobe Photoshop** sont également très intéressantes. La visualisation de ces films permet d'apprendre les différentes leçons tout en admirant de magnifiques images.

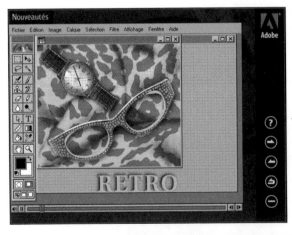

INFO

Adobe Acrobat Reader

Adobe Acrobat Reader est un programme de visualisation qui permet de consulter des fichiers créés à l'aide de logiciels de PAO, même si vous ne les possédez pas. Si Adobe Acrobat Reader n'est pas installé sur votre ordinateur, vous pouvez y remédier en cliquant sur le bouton correspondant du menu de démarrage du premier CD-ROM.

À propos de Photoshop sur le Web

Vous pouvez également obtenir des informations ainsi que de multiples conseils et astuces relatifs à Photoshop sur le World Wide Web. De nombreux sites privés sont consacrés à ce thème.

Si vous saisissez le critère de recherche Photoshop dans l'un des moteurs de recherche, vous serez surpris du nombre de réponses. Ainsi, le moteur de recherche AltaVista offre 822 780 liens !

Adobe vous vient également en aide. Outre des informations relatives aux produits, vous trouverez aussi des conseils et astuces présentés pas à pas. Vous pouvez télécharger les fichiers Acrobat Reader pour une lecture hors connexion.

La page des trucs et astuces d'Adobe est illustrée ci-dessous. Vous y trouverez des informations qui vous permettront de maîtriser les techniques les plus difficiles.

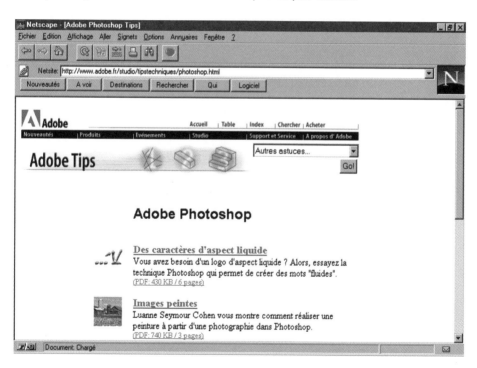

Sites Web intéressants

Nous avons répertorié ci-dessous quelques adresses Web qui nous ont plus particulièrement intéressés, notamment des plugins et des commandes ou tout simplement des informations sur Photoshop

N'oubliez pas que le Web "vit". Par conséquent, il est possible que l'un des sites n'existe plus à la publication de cet ouvrage...

Sites web	
Thème	**Adresse**
Adobe	www.adobe.fr
Animations GIF	www.mindworkshop.com
	www.ulead.com
	www.andatech.com
Trucs et astuces	www.netins.net/showcase/wolf359/adobepc.htm
	www.sas.upenn.edu/~pitharat/photoshop/filters/index.html
	http://www.andyart.com/photoshop/index.html

L'environnement de travail Photoshop

Une fois Photoshop correctement installé, nous pouvons commencer à explorer son espace de travail et ses fonctionnalités.

Démarrez le programme en cliquant sur son icône dans le groupe de programmes **Adobe**. Patientez quelques instants pendant le chargement des modules... L'interface utilisateur n'est pas particulièrement passionnante au démarrage !

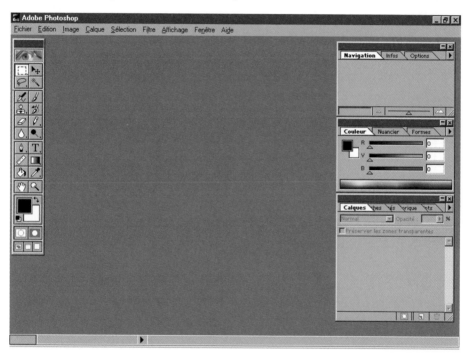

L'aspect inhabituel et atypique de Windows provient du fait que ce programme a tout d'abord été développé pour Macintosh. Seules les dernières versions ont été adaptées à Windows.

Ainsi, il n'y a pas de barres d'outils telles que celles que vous trouvez habituellement dans d'autres programmes Windows. L'espace de travail est donc bien dégagé.

Examinons maintenant les différents éléments de commande proposés par Photoshop.

Comme autrefois le pinceau et le crayon : la palette d'outils

Avant de pouvoir retoucher une image dans Photoshop, vous devez sélectionner l'outil que vous voulez utiliser.

La palette d'outils, qui se trouve sur le côté gauche de l'espace de travail, comporte tous les outils disponibles.

Nous vous présentons ci-dessous une liste de raccourcis clavier vous permettant de sélectionner les outils de la palette.

Les outils sont réunis dans des groupes en fonction de leur domaine d'utilisation.

Ainsi, le bloc supérieur regroupe les outils permettant de délimiter une partie de l'image que vous voulez retoucher. Ces outils se nomment des outils de sélection.

Le second bloc comporte les outils de dessin qui vous permettent, comme leur nom l'indique, de dessiner dans l'image. Il existe différents types d'outils de dessin, tels que le crayon, le pinceau ou la gomme. Leurs fonctionnalités sont illustrées sur le bouton.

Le bloc suivant réunit différents outils généraux servant à ajouter des mesures, des textes et des dégradés, ainsi qu'à remplir des parties de l'image. Le dernier bloc contient deux outils de vue permettant de modifier la taille d'affichage de l'image.

Les deux zones de couleur situées sous les outils permettent de définir la couleur du premier plan et de l'arrière-plan. Elles sont suivies de deux groupes d'icônes pour les différents modes d'affichage. Nous vous les présenterons ultérieurement.

Vous vous familiariserez peu à peu avec les fonctionnalités de ces outils au fil de votre lecture.

Les raccourcis clavier de la palette d'outils

Les raccourcis clavier de la palette d'outils	
Touche	**Fonction**
Double clic	Options de l'outil actif
C	Outil Recadrage
M	Rectangle de sélection, Ellipse de sélection, Rectangle de sélection de rangée et Rectangle de sélection de colonne
V	Outil Déplacement
L	Lasso, Lasso polygonal et Lasso magnétique
W	Baguette magique
J	Aérographe
B	Pinceau
S	Tampon, Tampon de motif
Y	Forme d'historique
E	Gomme
N	Crayon, Trait
R	Netteté, Goutte d'eau et Doigt
O	Densité, Densité + et Eponge
P	Plume, Plume magnétique et Plume libre
A	Outil Sélection directe
T	Outil Texte, Masque de texte, Texte vertical et Masque de texte vertical
U	Outil Mesure
G	Dégradé linéaire, Dégradé radial, Dégradé incliné, Dégradé réfléchi et Dégradé en losange
K	Pot de peinture
I	Pipette et Echantillonnage de couleur
H	Outil Main
Z	Loupe
D	Couleurs de premier plan et d'arrière-plan par défaut
X	Permuter les couleurs de premier plan et d'arrière-plan
Q	Mode Standard et Mode Masque
F	Modifier l'affichage à l'écran

Utiliser les menus déroulants

Certains outils sont disponibles dans un menu déroulant ; ainsi, la palette d'outils n'est pas surchargée.

 Lorsque le bouton comporte un menu déroulant, une petite flèche se trouve dans son angle inférieur droit.

Pour sélectionner un outil dans un menu déroulant, procédez de la manière suivante :

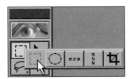

1 Cliquez sur un bouton doté d'une flèche, le premier par exemple.

2 Maintenez le bouton de la souris enfoncé.

3 Sélectionnez alors l'outil approprié en continuant à appuyer sur le bouton de la souris.

4 Lorsque vous relâchez le bouton de la souris, l'outil est activé et le menu déroulant se referme.

Définir les options d'un outil

À chaque outil correspondent différentes options supplémentaires. Prenons par exemple l'outil **Dégradé linéaire**. Après sa sélection, vous devez définir l'aspect du dégradé que vous voulez dessiner. Si vous n'effectuez aucun réglage, Photoshop applique les valeurs par défaut. Dans le cas du dégradé linéaire, il s'agit d'un simple dégradé de la couleur de premier plan à la couleur d'arrière-plan. Comment modifier les options ? La partie droite de la surface de travail comporte quelques fenêtres : ce sont les fenêtres de palettes.

INFO

Aucune fenêtre de palettes n'est affichée ?

Vous ne voyez aucune fenêtre de palettes ? Peut-être avez-vous appuyé sur la touche Tab par mégarde ! Cette touche permet en effet d'afficher et de masquer les palettes. Cette opération peut également s'effectuer à partir du menu *Fenêtre*.

Les fenêtres de palettes sont réunies dans des groupes pour que la surface de travail ne soit pas surchargée.

1 Cliquez sur l'un des onglets situés dans l'en-tête de la fenêtre de palettes.

Ainsi, vous pouvez afficher les différentes fenêtres d'un groupe. Un clic sur l'onglet **Options**…

2 … affiche la fenêtre de palettes **Options**.

Vous y trouvez par exemple les paramètres de l'outil **Dégradé linéaire**, si cet outil est actif.

3 L'affichage varie en fonction de l'outil actif. Dans le cas du dégradé linéaire, vous pouvez notamment sélectionner l'un des modèles de dégradé proposé dans la zone de liste *Dégradé*.

La vue d'ensemble dans les fenêtres de palettes

Les fenêtres de palettes abritent de nombreuses fonctions très variées. Nous allons maintenant examiner successivement toutes les formes d'aide offertes par ces fenêtres.

Garder le sens de l'orientation grâce à la fenêtre Navigation

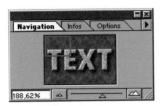

Dans la première fenêtre de palettes, **Navigation**, une reproduction de l'image est affichée. Tant que vous utilisez la taille d'affichage normale, cette fenêtre de palettes ne vous est pas d'une grande utilité.

En revanche, si vous travaillez avec un affichage grossi qui ne permet pas de voir l'ensemble de l'image, cette fenêtre vous indique quelle partie de l'image est affichée. Un cadre rouge signale l'extrait visible.

Vous pouvez déplacer l'extrait de l'image par glisser-déplacer dans la fenêtre **Navigation**. La zone de saisie située dans l'angle inférieur gauche de la fenêtre permet de modifier la taille d'affichage de l'image. Si vous ne voulez pas saisir la valeur manuellement, vous pouvez aussi utiliser la barre graduée à droite de la zone.

Savoir où on en est : la fenêtre Info

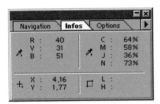

La fenêtre **Info** contient quelques données importantes. Vous pouvez y consulter la valeur de couleur d'un pixel sur lequel se trouve le pointeur de la souris. Il suffit de placer le pointeur de la souris sur l'image.

De plus, la fenêtre indique la taille des zones sélectionnées et la position du pointeur de la souris.

Définir précisément les couleurs avec les barres graduées

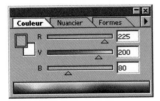

Pour définir précisément une couleur, pour dessiner par exemple, utilisez les règles de la fenêtre **Couleur**.

Vous pouvez choisir une couleur en cliquant dans le spectre dans la partie inférieure de la fenêtre ou en déplaçant les curseurs des barres supérieures.

Utiliser des couleurs prédéfinies

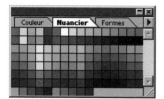

Si vous ne voulez pas définir précisément une couleur mais simplement choisir une couleur standard, utilisez l'onglet **Nuancier**.

Cliquez sur l'une des zones de couleur pour modifier la couleur de premier plan courante. La couleur d'arrière-plan courante est modifiée si vous maintenez la touche (Alt) enfoncée tout en cliquant sur une couleur.

Modifier la taille de l'outil actif

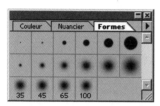

La dernière fenêtre de ce groupe contient quelques formes d'outils prédéfinies.

Avant d'utiliser un outil de dessin, tel qu'un pinceau ou l'aérographe, vous devez définir sa taille.

Vous réglez ainsi la largeur du trait obtenu lors du dessin.

Il existe deux types de formes. La première rangée contient des formes ayant un bord accentué. En revanche, si vous dessinez avec l'une des autres formes, le bord du trait est dégradé sur l'arrière-plan. Le bord du pinceau est alors transparent.

Annuler les erreurs dans la fenêtre Historique

Le groupe suivant contient deux fonctions très utiles.

La palette **Historique** indique toutes les étapes de travail que vous avez exécutées, à commencer par l'ouverture du fichier. Photoshop énumère automatiquement les étapes de travail.

Si l'une des retouches que vous avez effectuées sur l'image ne vous plaît pas, cliquez sur l'entrée correspondante. Vous rétablissez ainsi l'ancienne illustration. Vous pouvez ensuite continuer vos retouches comme d'habitude en partant de cette illustration. Pour revenir à l'illustration de départ, cliquez sur la première entrée de la liste repérée par un aperçu.

Dessiner sur une ancienne version de l'image

Cette fenêtre permet d'atteindre une fonction particulière : vous pouvez non seulement revenir à une version antérieure, mais également utiliser uniquement des parties d'une ancienne version.

C'est à cela que sert le pinceau **Forme d'historique**. Lorsqu'il est activé, vous pouvez tracer des traits sur une ancienne version de l'image.

Tout automatique avec la palette Scripts

Qui n'a pas rêvé d'appuyer sur une touche magique qui exécuterait toutes les actions automatiquement ?

Photoshop n'en est pas encore là... mais il s'en faut de peu ! Les fonctions correspondantes se trouvent dans la palette **Scripts**.

Les scripts sont comparables à des macros, comme il en existe dans d'autres programmes. Il vous suffit de décrire des étapes de travail que vous effectuez souvent. Photoshop offre quelques scripts intéressants tels que la création automatique de cadres ou de boutons tridimensionnels.

Gérer les niveaux du dessin avec la fenêtre Calques

Dans Photoshop, vous pouvez superposer plusieurs calques pour obtenir un résultat comparable à une pile de papier : la feuille supérieure est visible et les feuilles inférieures sont cachées.

En revanche, lorsque vous utilisez de véritables calques, le contenu des autres feuilles est visible. Nous présenterons de manière détaillée l'utilisation des calques plus loin dans cet ouvrage.

La gestion des calques d'un document s'effectue dans la fenêtre **Calques**. Vous pouvez modifier l'ordre des calques ou en créer de nouveaux.

Les calques accroissent la taille des fichiers

Même si les calques sont très pratiques, ils présentent un inconvénient majeur : plus un document contient de calques et plus les fichiers deviennent volumineux. Pour réduire la taille des fichiers, vous pouvez réunir plusieurs calques pour n'en former qu'un seul.

Observer les valeurs de couleur

Une image en couleur se compose de plusieurs couches de couleur. Il y a trois ou quatre couches en fonction du modèle de couleur utilisé.

Vous utiliserez généralement des images RVB contenant une couche pour les valeurs rouges, une autre pour les vertes et une dernière pour les bleues.

La fenêtre **Couches** vous permet de savoir quelles valeurs comportent les couches. Chaque couche y est représentée par une entrée distincte. En outre, les couches alpha y figurent également. Il s'agit de masques protégeant une partie de l'image.

Presque comme dans un programme de dessin vectoriel : les tracés

Les tracés ont pour fonction d'établir un lien entre un programme de dessin vectoriel et un programme de retouche de pixels.

Comme dans un programme de dessin vectoriel, des courbes précises et variables sont utilisées pour retoucher une partie de l'image. Toutefois, cette fonctionnalité n'est pas simple d'emploi pour le débutant.

La gestion de ces tracés s'effectue dans la fenêtre **Tracés**. Il est possible de créer de nouveaux tracés et de sélectionner des tracés existants.

Les fenêtres de palettes - une construction logique

La construction des fenêtres de palettes est rarement utilisée dans les programmes Windows typiques. Par conséquent, le débutant aura du mal à en suivre la logique. Mais rassurez-vous ! Vous en connaîtrez tous les usages après une brève période d'utilisation.

Par cette construction, l'utilisateur peut atteindre rapidement toutes les options et tous les outils importants. De plus, l'interface de travail demeure ordonnée, dans la mesure où vous conservez les réglages par défaut.

Personnaliser l'environnement de travail

Les fenêtres des palettes, comme la barre d'outils, ne sont pas fixées irrémédiablement. Vous pouvez les déplacer sur la surface de travail.

En outre, leur position n'est pas limitée à la fenêtre Photoshop : les palettes peuvent aussi être placées à l'extérieur de la fenêtre. Ne dispersez pas pour autant les fenêtres de palettes car votre écran sera alors aussi encombré que celui illustré ci-dessous.

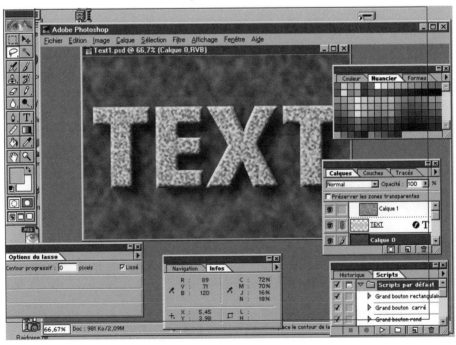

Déplacer les fenêtres de palettes

Vous vous demandez peut-être comment il a été possible d'obtenir l'illustration précédente. Nous allons vous exposer la marche à suivre pour déplacer les palettes.

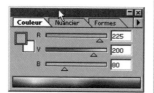

1 Cliquez sur la barre de titre.

2 Maintenez le bouton de la souris enfoncé.

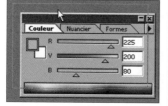

3 Faites glisser la fenêtre à l'emplacement requis, puis relâchez le bouton de la souris. Un cadre indique le nouvel emplacement au cours du déplacement.

Lorsque vous vous approchez d'une autre fenêtre ou du bord de la fenêtre de programme, la fenêtre s'y place afin d'y être disposée précisément.

Séparer des groupes de palettes et en constituer de nouveaux

Les groupes de palettes ne sont pas non plus immuables ; vous pouvez en constituer de nouveaux.

1 Cliquez sur l'onglet de la fenêtre de palettes que vous voulez retirer du groupe et maintenez le bouton de la souris enfoncé.

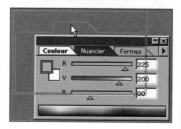

2 Un cadre indique le nouvel emplacement de la fenêtre de palettes au cours du déplacement.

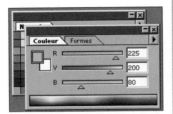

3 Une fois l'emplacement requis atteint, relâchez le bouton de la souris.

Les groupes sont alors séparés et il y a deux fenêtres de palettes. Inconvénient : cette présentation occupe davantage d'espace de travail.

Créer de nouveaux groupes de palettes

La démarche inverse est également possible : les fenêtres isolées peuvent aussi être insérées dans des groupes existants.

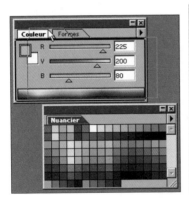

1 Cliquez sur l'onglet de la fenêtre de palettes appropriée et faites-la glisser dans un autre groupe.

2 Un cadre plus épais apparaît alors dans la fenêtre de palettes afin de vous indiquer l'emplacement de l'insertion. Relâchez le bouton de la souris.

Réduire une fenêtre de palettes

Si vous utilisez rarement les fenêtres de palettes, vous n'avez pas besoin de les afficher entièrement. Vous pouvez aussi les réduire pour économiser de l'espace.

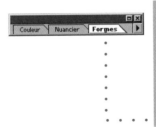

1 La barre de titre des fenêtres contient deux boutons. Celui doté d'une croix permet de fermer la fenêtre. Le bouton de gauche permet de la réduire. Lorsque vous cliquez dessus, la fenêtre de palettes est réduite à la taille d'un onglet : pour l'afficher de nouveau, il suffit de cliquer sur l'onglet .

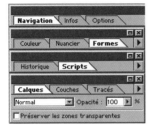

2 Certaines fenêtres, telles que celle des calques, ne disparaissent pas entière- ment. Les principales fonctions demeurent visibles.

3 Lorsqu'elles sont réduites, les fenêtres de palettes peuvent être rangées les unes au-dessous des autres afin d'économiser de la place sur la surface de travail.

Définir les dimensions idéales

Pour certaines fenêtres, vous pouvez cliquer plusieurs fois sur le bouton de gauche. Imaginons que la fenêtre *Calques* n'affiche pas tous les calques du document. Le premier clic règle la taille idéale de la fenêtre permettant d'afficher tous les calques. La fenêtre de palettes est uniquement réduite lors du second clic.

Modifier la taille des fenêtres de palettes

Vous pouvez modifier la taille de certaines fenêtres de palettes.

1 Pour savoir si la taille d'une fenêtre peut être modifiée, observez le bouton qui se trouve dans l'angle inférieur droit. Lorsque vous y placez le pointeur de la souris, celui-ci vous indique que vous pouvez modifier la taille de la fenêtre.

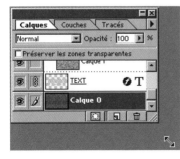

2 Maintenez le bouton de la souris enfoncé et faites glisser la souris jusqu'à obtenir la taille de fenêtre appropriée. Un cadre d'aperçu indique la nouvelle taille. Relâchez le bouton de la souris pour que la fenêtre soit agrandie.

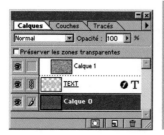

3 Toutes les entrées sont maintenant visibles dans la fenêtre agrandie.

Choisir les paramètres corrects

Que faire lorsque vous avez mélangé tous les éléments de la surface de travail ? Faut-il passer des heures à tout remettre en place ? Pas de panique ! Photoshop vous vient en aide. Sélectionnez la commande **Fichier/Préférences/ Général**. Vous pouvez également ouvrir la boîte de dialogue à l'aide du raccourci clavier [Ctrl] + [K]. Cliquez sur le bouton **Retour à la position par défaut des palettes** et tout rentre dans l'ordre.

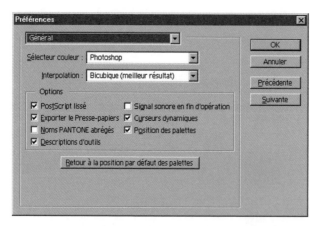

Le bouton **Suivante** vous permet de sélectionner les préférences suivantes qui sont divisées en plusieurs catégories. Parcourez les différentes catégories pour atteindre celle appelée *Modules externes et disques de travail*. Saisissez-y les disques durs sur lesquels Photoshop peut placer les fichiers d'échange.

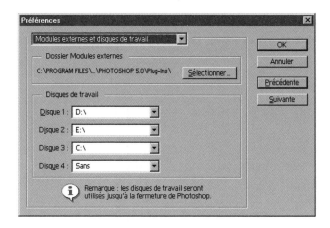

Dans la zone *Disque 1*, définissez le lecteur disposant du maximum d'espace libre. Les autres lecteurs sont utilisés lorsque ce lecteur est plein.

Utiliser les menus

Une fois les outils définis et leurs options réglées, il faut connaître les fonctions permettant de retoucher une image.

Ces commandes peuvent être activées à partir de menus ou de raccourcis clavier. Le raccourci clavier correspondant à une commande figure à la suite de l'entrée du menu. Si une commande peut être activée par un raccourci clavier, celui-ci est indiqué à droite du nom de la commande.

Les fonctions sont regroupées en six catégories : les opérations de fichier générales se trouvent dans le menu **Fichier** et les fonctions d'édition générales sont réunies dans le menu **Edition**. Si vous voulez retoucher une image dans sa totalité, vous devez utiliser le menu **Image**.

Si vous voulez retoucher un calque ou une sélection, vous devez ouvrir le menu correspondant. Si vous voulez recourir à l'un des nombreux filtres, vous devez utiliser les fonctions du menu **Filtre**. Le menu **Affichage** contient notamment les commandes permettant de modifier la taille de l'affichage.

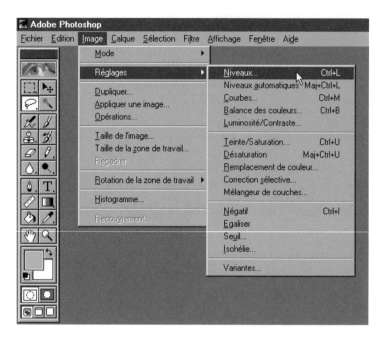

Aligner les éléments avec les repères

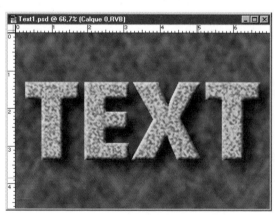

Le menu **Affichage** contient des fonctions très utiles. Vous pouvez par exemple y activer les règles afin de connaître les mesures de l'image. L'unité de mesure affichée peut être modifiée à partir des préférences.

Ces règles vous permettent d'obtenir des repères facilitant l'alignement de calques sur l'image. La couleur des repères peut aussi être modifiée à partir des préférences. Dans notre exemple, ils sont rouges.

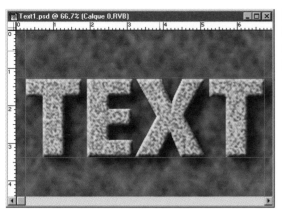

Les repères ont un effet magnétique. Dès que vous vous approchez
d'un repère avec l'outil **Déplacement**, le calque s'y "accroche".

Un ensemble de repères : la grille

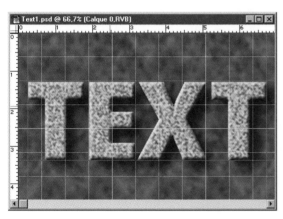

Lorsque vous voulez dessiner des
motifs géométriques ou des formes
identiques, il est parfois pratique
d'utiliser la grille qui peut aussi être
activée à partir du menu **Affichage**.

L'espacement entre les lignes de la
grille et leur couleur peut être
modifié à partir des préférences.

INFO

Invisibles mais actifs

Si les repères ou la grille vous gênent, vous pouvez les rendre invisibles sans qu'ils ne perdent pour autant leur effet magnétique. Les commandes correspondantes se trouvent dans le menu *Affichage*. Il s'agit des commandes *Masquer les repères* et *Masquer la grille*.

Paramétrer le moniteur avec Adobe Gamma

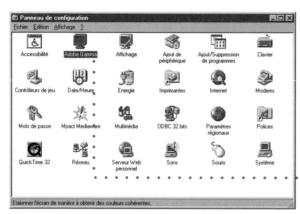

Le paramétrage correct du moniteur est primordial pour la retouche d'images. En jargon informatique, on parle d'étalonnage. Photoshop vous vient en aide pour l'exécution des réglages appropriés.

Lors de son installation, Photoshop insère une icône *Adobe Gamma* dans le Panneau de configuration de Windows. Démarrez cet utilitaire par un double clic.

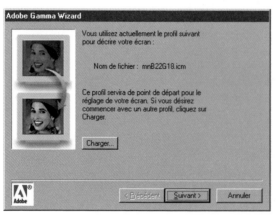

Un Assistant vous guide lors de l'exécution des différentes étapes de réglage. Les textes explicatifs vous indiquent précisément ce que vous devez faire.

Les réglages sont enregistrés dans des fichiers de profil afin d'être disponibles ultérieurement. Les réglages ne s'appliquent pas uniquement à Photoshop mais à tous les autres programmes.

Travailler avec les fichiers image

Pour commencer à travailler, il ne vous manque plus que le principal : une image. Il existe différentes manières d'ouvrir ou de créer une image dans Photoshop. Nous allons les examiner une à une.

La méthode la plus simple : ouvrir une image

Commençons par l'exercice le plus simple. Votre disque dur contient peut-être déjà des images que vous voulez retoucher.

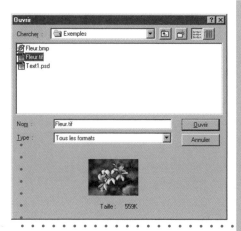

1 Sélectionnez la commande **Fichier/ Ouvrir**. Vous pouvez également utiliser le raccourci clavier Ctrl + O.

2 Recherchez le dossier contenant l'image à ouvrir, comme dans n'importe quel programme Windows.

Photoshop présente la liste de toutes les images dont il connaît le format. Il s'agit des principaux formats de fichiers.

Vous pouvez également choisir le format de fichier requis dans la zone de liste *Type*.

3 Lorsque vous cliquez sur une image dans la liste des fichiers, outre la taille de fichier, un aperçu s'affiche pour la plupart des formats de fichiers.

4 Une fois l'image requise trouvée, double-cliquez sur son entrée dans la liste des fichiers ou cliquez sur le bouton **Ouvrir**.

5 Vous pouvez également sélectionner plusieurs fichiers en appuyant sur la touche Maj ou Ctrl afin de les ouvrir simultanément.

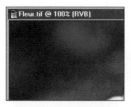

6 L'image s'ouvre alors dans une fenêtre indépendante sur la surface de travail. Le nom de l'image figure dans la barre de titre ; vous savez ainsi quelle image est ouverte.

7 Si vous voulez également afficher le chemin d'accès de la fenêtre, placez le pointeur de la souris sur la barre de titre de la fenêtre. Cette information apparaît alors dans une info-bulle.

Ouvrir une image d'un CD de photos

Vous connaissez peut-être déjà les avantages des images sur CD de photos.

Le principe est simple : vous réunissez jusqu'à 100 diapositives ou négatifs et vous les apportez chez votre photographe qui les numérise et les enregistre sous un format de fichier spécial sur un CD.

Outre l'excellente qualité, le prix est également très persuasif. Vous obtenez une numérisation parfaite pour environ 3 francs par image. Impossible de trouver moins cher !

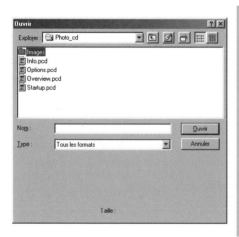

1 La méthode d'ouverture de l'image ressemble à celle d'une image ordinaire. Après sélection de la commande **Fichier/ Ouvrir**…

2 … vous devez afficher le dossier *Photo_cd\Images* sur votre lecteur de CD-ROM. Ce dossier contient les images dotées de l'extension *.pcd*.

Toutefois, vous devez renoncer à l'aperçu.

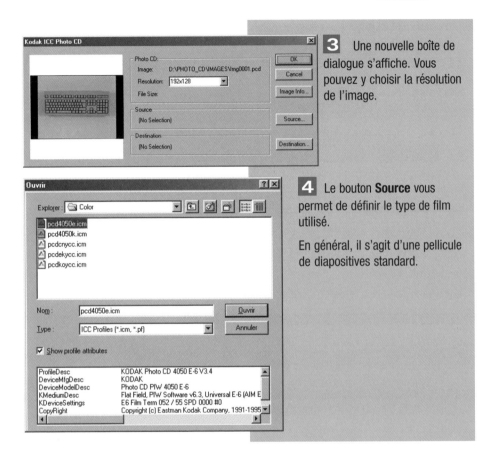

3 Une nouvelle boîte de dialogue s'affiche. Vous pouvez y choisir la résolution de l'image.

4 Le bouton **Source** vous permet de définir le type de film utilisé.

En général, il s'agit d'une pellicule de diapositives standard.

Avec ce format de fichier, cinq tailles d'image sont enregistrées pour chaque fichier image. La résolution de 75 dpi correspond environ à la résolution de l'écran et 300 dpi est la valeur d'impression par défaut.

INFO

Impossible d'enregistrer

Les images ouvertes au format Photo CD ne peuvent pas être enregistrées sous le même format. Ce format de fichier peut uniquement être lu. Vous devez donc choisir un autre format de fichier, tel que *.tif* ou *.bmp* lors de l'enregistrement.

Le tableau suivant vous indique l'utilisation optimale des différentes tailles.

Les différentes tailles d'images disponibles dans un fichier au format Photo CD				
Désignation Kodak	Pixel	Taille en cm (75 dpi)	Taille imprimable en cm (300 dpi)	Utilisation
Base/16	128 x 384	4,3 x 6,5	1,1 x 1,6	Listes et onglets de prévisualisation sur les pages Web par exemple
Base/4	256 x 384	8,7 x 132	2 x 3,3	Très petites images
Base	512 x 768	17,3 x 26,1	4,3 x 6,5	Résolution de l'écran
4 Base	1 024 x 1 536	34,7 x 52	8,7 x 13,0	Impression en taille normale
16 Base	2 048 x 3 072	69,4 x 104	17,3 x 26,0	Impression en grand format

Numériser avec le module TWAIN

Outre les fichiers existants, les images sur papier sont une autre source possible. Toutefois, vous devez les numériser avant de les retoucher dans Photoshop.

Vous avez alors besoin d'un scanner. Tous les scanners sont accompagnés d'un programme vous permettant d'importer les images dans l'ordinateur.

Ces programmes varient en fonction du scanner utilisé. Alors que les scanners bon marché sont fournis avec des programmes permettant d'effectuer très peu de réglages, les scanners les plus onéreux sont livrés avec des programmes comportant un large éventail de réglages.

La plupart de ces programmes sont compatibles TWAIN. Nous allons vous expliquer ce que cela signifie. Le module TWAIN vous facilite la tâche.

Vous pouvez le démarrer directement à partir de Photoshop. Une fois numérisée, l'image est importée dans Photoshop.

Les étapes suivantes sont nécessaires :

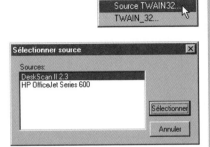

1 Sélectionnez la commande **Fichier/ Importation/Source TWAIN32**.

2 Une boîte de dialogue s'affiche. Elle contient la liste de tous les périphériques disposant d'un pilote TWAIN. Outre les scanners, les appareils photo numériques sont aussi fournis avec un module TWAIN.

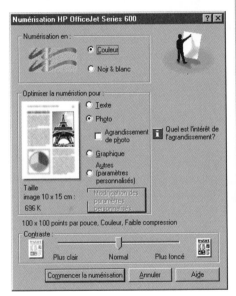

3 Après avoir choisi le périphérique d'entrée approprié, vous pouvez sélectionner la commande **Fichier/Importation/TWAIN_32**.

Le programme fourni par le constructeur du scanner démarre. Les programmes sont très différents.

Pour obtenir davantage d'informations sur les fonctionnalités d'un programme, reportez-vous à son manuel d'utilisation.

4 Une fois la numérisation terminée, l'image s'affiche dans une fenêtre Photoshop et il ne vous reste plus qu'à l'enregistrer.

Importer à partir du Presse-papiers

Photoshop peut également importer des données à partir du Presse-papiers Windows et il n'est pas nécessaire qu'il s'agisse d'images.

1 Copiez les données requises à partir du programme de départ dans le Presse-papiers à l'aide du raccourci clavier Ctrl + C.

2 Basculez vers Photoshop et sélectionnez la commande **Fichier/Nouveau**.

3 Photoshop vous propose automatiquement, dans une boîte de dialogue, les valeurs appropriées. Vous pouvez les confirmer en cliquant sur OK.

4 Si vous voulez conserver la couleur de l'extrait, définissez l'option *Couleurs RVB* dans la zone de liste *Mode*.

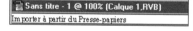

5 Photoshop crée alors un document vide dans une nouvelle fenêtre.

6 Insérez le contenu du Presse-papiers dans le document vide à l'aide du raccourci clavier Ctrl + V.

7 Un coup d'œil dans la fenêtre **Calques** vous indique que Photoshop a automatiquement créé un nouveau calque sur lequel se trouve la ligne de texte insérée.

Créer un nouveau fichier

Vous avez appris à créer un nouveau fichier lors des étapes 1 à 4. Examinons de plus près les données mentionnées dans la boîte de dialogue.

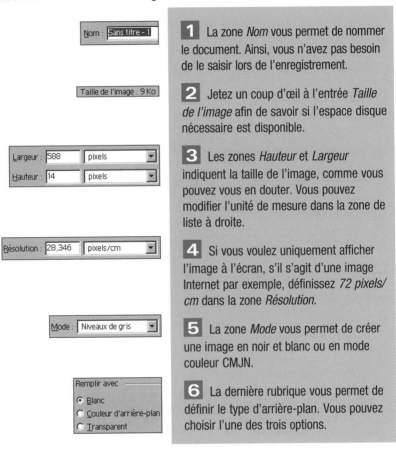

1 La zone *Nom* vous permet de nommer le document. Ainsi, vous n'avez pas besoin de le saisir lors de l'enregistrement.

2 Jetez un coup d'œil à l'entrée *Taille de l'image* afin de savoir si l'espace disque nécessaire est disponible.

3 Les zones *Hauteur* et *Largeur* indiquent la taille de l'image, comme vous pouvez vous en douter. Vous pouvez modifier l'unité de mesure dans la zone de liste à droite.

4 Si vous voulez uniquement afficher l'image à l'écran, s'il s'agit d'une image Internet par exemple, définissez *72 pixels/cm* dans la zone *Résolution*.

5 La zone *Mode* vous permet de créer une image en noir et blanc ou en mode couleur CMJN.

6 La dernière rubrique vous permet de définir le type d'arrière-plan. Vous pouvez choisir l'une des trois options.

Une fois les retouches terminées : enregistrer au bon format de fichier

Pour conserver votre travail de manière permanente, vous devez l'enregistrer. Quel est le format correct ? Il n'est pas facile de répondre à cette question. Il n'y a pas de bon ou de mauvais format de fichier. Tout dépend de ce que vous voulez en faire.

Lorsque vous voulez publier des images sur l'Internet, deux formats s'imposent : .*gif* ou .*jpg*. Les autres formats de fichiers ne peuvent pas être lus par les navigateurs Web. Si vous accordez de l'importance aux nuances de couleurs pour les dégradés ou la précision des photos, vous devez utiliser le format .*jpg* car il admet uniquement 256 couleurs. En revanche, si vos images doivent être animées, vous devez recourir au format .*gif* car le format .*jpg* ne prend pas en charge les animations. Si vous exigez le maximum de compatibilité, le format standard Windows .*bmp* est recommandé car la plupart des programmes peuvent le lire. Le format .*tif* est presque exclusivement réservé à l'impression professionnelle. Il admet les modèles de couleur RVB et CMJN, ce dernier étant utilisé pour l'impression.

Le tableau suivant présente ces formats ainsi que leurs principales propriétés et leurs domaines d'application.

Les formats de fichiers graphiques							
Format	Compression	Masques	CMJN	PAO	Multimédia	Internet	Archives
bmp	sous réserve	-	-	-	X	-	-
tif	oui	X	X	X	-	-	-
pcd	oui	-	-	-	-	-	-
psd	oui	X	X	-	-	-	X
gif	oui	-	-	-	-	X	-
jpeg	oui	-	X	-	X	X	X

Pour ne rien perdre : psd

Nous n'avons pas présenté le principal format de fichier. Seul le format propre à Photoshop, .*psd*, protège toutes les informations. Ce format permet de conserver tous les calques, masques et tracés. Vous devez donc toujours créer une copie de vos travaux utilisant ces fonctions au format .*psd*.

Convertir les formats de fichiers

Le passage entre les différents formats de fichiers ne pose quasiment aucun problème. Il vous suffit d'ouvrir une image .*bmp*, par exemple, et de l'enregistrer sous un autre format, tel que le format de fichier .*tif*. Vous ne rencontrez alors aucun problème. Il n'en va pas de même si vous utilisez un fichier au format *.gif* ou *.jpg*. Dans ce cas, vous risquez de perdre des informations d'image. Avec le format *.gif*, il s'agira des couleurs, et avec le format *.jpg*, des détails de l'image disparaîtront selon le taux de compression. Vous ne pourrez pas récupérer les informations perdues en enregistrant ensuite l'image au format *.bmp* (qui lui n'entraîne pas de pertes d'informations).

INFO

Miser sur la sécurité
Si vous voulez ne pas perdre de contenu de l'image, utilisez, outre le format *.psd*, les formats standard *.bmp* et *.tif*.

Économiser l'espace disque

Le problème récurrent lors de la retouche d'images bitmap est celui de la place. Même les plus gros disques durs sont rapidement pleins. Pour économiser de l'espace disque, vous disposez de différentes possibilités.

La méthode traditionnelle : compresser les fichiers

Commençons par la méthode la plus simple et la moins pratique. Après avoir modifié vos fichiers, vous pouvez les compresser à l'aide d'un programme de compression, tel que WinZip, afin qu'ils occupent moins d'espace sur votre disque dur. Cette technique est tout à fait adaptée à l'archivage. Néanmoins, comme elle requiert la décompression de l'image avant une nouvelle retouche, elle n'est pas recommandée.

Autre méthode : la compression tif

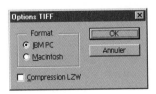

Il existe quelques formats de fichiers offrant une possibilité de compression. Le format standard *.tif* en fait partie. Cette méthode est très pratique car il est possible de charger le fichier à tout moment. Autre avantage par rapport au format *.jpg* : aucune information d'image n'est perdue lors de la compression.

Toutefois, il ne faut pas omettre de signaler un inconvénient : certains programmes de retouche d'images ne peuvent pas ouvrir les images *.tif* compressées. Si vous utilisez plusieurs programmes, vous devez faire un essai préalable.

Les spécialistes : la compression à perte

D'autres formats de fichiers, tels que les deux formats Internet *.gif* et *.jpg*, créent aussi des fichiers très petits mais ils présentent un inconvénient majeur : ils entraînent la perte d'informations. Nous allons maintenant examiner l'exportation sous ces deux formats.

Exporter sur le Web avec le format de fichier approprié

Si vous créez souvent des images pour l'Internet, vous devez vous poser une question fondamentale : *.gif* ou *.jpg* ? Comparons ces deux formats.

Le format de fichier jpg

Ce format fonctionne avec les images TrueColor qui comportent un maximum de 16,7 millions de couleurs. Ce nombre de couleurs est crucial pour les photos et les dégradés afin de restituer les moindres nuances. Procédez de la manière suivante pour enregistrer des fichiers sous ce format.

1 Sélectionnez la commande **Enregistrer sous**, puis activez l'option *JPEG (*.JPG, *.JPE)* dans la zone de liste *Enregistrer.*

2 Indiquez le nom approprié dans la zone *Nom* et ouvrez le dossier dans lequel vous voulez enregistrer l'image.

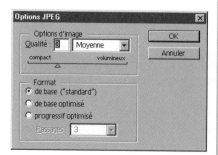

3 Une boîte de dialogue s'affiche lorsque vous confirmez les entrées et vous pouvez y modifier les options du format *.jpg.*

La rubrique *Options d'image* permet de définir le taux de compression. Plus la valeur est réduite, plus la qualité d'image devient mauvaise mais plus la taille du fichier est réduite. Vous pouvez utiliser la barre graduée ou les entrées de la liste pour effectuer le réglage.

L'effet de la compression sur l'image varie fortement en fonction du sujet représenté. Examinons deux images. Dans la première image, la différence entre le niveau de qualité supérieur (à droite) et inférieur est à peine visible. Toutefois, la taille du fichier est réduite d'un huitième.

Il n'en va pas de même pour la seconde image. La différence est bien plus nette et la taille du fichier a été divisée par 13.

La différence entre les images

Pourquoi une image est-elle plus fortement compressée qu'une autre malgré l'utilisation des mêmes réglages ?

Cette différence s'explique par le principe de la compression *.jpg*. La compression tente de préserver autant que possible les détails de l'image. Plus l'image contient de détails et moins la compression *.jpg* est efficace.

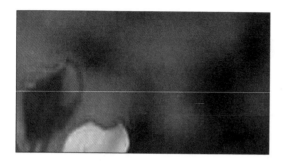

C'est notamment le cas de l'image du chat. La fourrure contient énormément de détails qui ont été conservés. En revanche, l'arrière-plan de la fleur est composé de grandes tâches sur lesquelles la compression *.jpg* est très efficace. La perte de qualité de l'arrière-plan est donc particulièrement nette. Un agrandissement la révèle nettement : des cases apparaissent.

Le format gif

Le format *.gif* fonctionne selon un principe entièrement différent. L'image subit une perte de qualité car seules 256 nuances de couleurs sont possibles, ce qui explique la réduction de la taille des fichiers. Il existe différentes manières d'obtenir ce résultat.

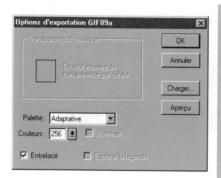

1 Si vous retouchez une image TrueColor, puis que vous sélectionnez la commande **Fichier/Exportation/Export GIF89a**, vous pouvez effectuer très peu de réglages dans la boîte de dialogue qui apparaît. Les possibilités sont très réduites.

Cette méthode n'est donc pas la meilleure. Il est préférable de convertir l'image avant d'ouvrir la boîte de dialogue d'exportation.

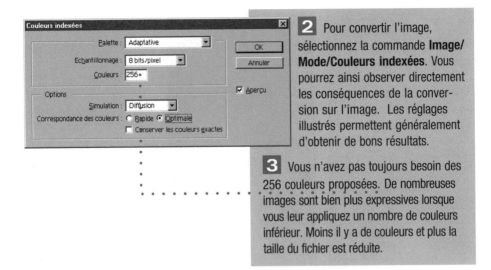

2 Pour convertir l'image, sélectionnez la commande **Image/Mode/Couleurs indexées**. Vous pourrez ainsi observer directement les conséquences de la conversion sur l'image. Les réglages illustrés permettent généralement d'obtenir de bons résultats.

3 Vous n'avez pas toujours besoin des 256 couleurs proposées. De nombreuses images sont bien plus expressives lorsque vous leur appliquez un nombre de couleurs inférieur. Moins il y a de couleurs et plus la taille du fichier est réduite.

Attention au temps de calcul

Si vous activez l'option *Aperçu* dans la boîte de dialogue de conversion, le temps d'attente avant l'affichage du résultat peut être relativement long, surtout si l'image est grande.

Examinons de nouveau les effets à l'aide d'un exemple. Sur les images de perroquet page suivante, nous avons défini 256 couleurs à gauche et 50 à droite. Malgré le nombre de couleurs inférieur, l'image est encore reconnaissable. L'absence de couleur se fait uniquement sentir dans la région de l'œil. L'effet de l'image est toujours bon lorsque moins de couleurs sont utilisées car une seule couleur domine. Il s'agit de différentes nuances de vert. Si vous avez converti l'image en mode de couleurs indexées, la boîte de dialogue d'exportation est différente.

Faites des essais

Avant d'obtenir le meilleur compromis possible entre qualité d'image et taille de fichier, il est nécessaire d'essayer différentes variantes. Vous êtes obligé de transiger car il est impossible de réunir une qualité maximale avec une taille de fichier réduite.

Elle contient uniquement un aperçu et la palette des couleurs utilisées dans l'image. Les deux boîtes de dialogue représentent les palettes de couleurs des deux illustrations précédentes. Vous pouvez constater que les teintes de base dominent fortement. À droite, vous pouvez voir que 50 couleurs suffisent pour restituer l'image de manière identifiable.

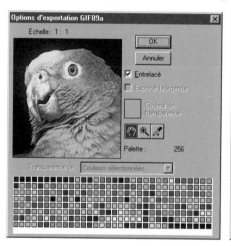
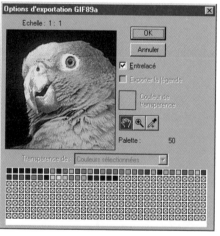

D'après ces exemples, vous avez certainement remarqué combien il est difficile de choisir le format de fichier approprié car tout dépend du sujet représenté. Nous espérons que nos exemples vous ont permis de comprendre de quels facteurs dépend le format de fichier adéquat.

Améliorer rapidement la qualité de l'image

Vous aussi avez sans doute déjà été confronté aux affres de la création : vous avez déployé tout votre talent à prendre une photo... qui est bonne à mettre à la corbeille. Néanmoins, avant de recourir à cette solution extrême, examinez tout d'abord ce que vous pouvez en faire sous Photoshop.

Une mauvaise image - que faire ?

Il est évident que cette image est mauvaise. Elle est sombre et peu contrastée et elle est de travers. Comment remédier à tout cela ? Il existe différentes méthodes et certaines sont plus simples que d'autres. Nous allons commencer par la plus simple.

Reproduire les exemples

Si vous voulez reproduire les exemples, consultez notre site à l'adresse suivante :
http://www.microapp.com. **Vous pouvez y télécharger les images de départ.**

Redresser une image avec l'outil Recadrage

Commençons par redresser l'image. Un conseil toutefois : pour éviter ces étapes de travail, vous devez veiller à positionner correctement le modèle lors de sa numérisation.

Les étapes suivantes sont nécessaires :

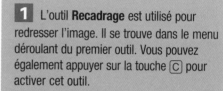

1 L'outil **Recadrage** est utilisé pour redresser l'image. Il se trouve dans le menu déroulant du premier outil. Vous pouvez également appuyer sur la touche ⓒ pour activer cet outil.

2 Placez le pointeur de la souris dans l'angle supérieur gauche de l'image. Cliquez sur le bouton de la souris et maintenez-le enfoncé.

3 Lorsque vous déplacez le pointeur de la souris vers l'angle opposé, un cadre en pointillé délimite la zone sélectionnée. Relâchez le bouton de la souris lorsque vous avez atteint l'angle inférieur droit.

4 Une fois que vous avez relâché le bouton de la souris, un cadre doté de huit poignées s'affiche. Une poignée est située à chaque angle et au centre de chaque côté.

Ces poignées vous permettent de modifier la taille du cadre.

5 Il est également possible de faire pivoter ce cadre. Placez le pointeur de la souris à proximité de l'angle supérieur droit : il se transforme en pointeur de rotation.

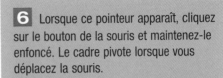

6 Lorsque ce pointeur apparaît, cliquez sur le bouton de la souris et maintenez-le enfoncé. Le cadre pivote lorsque vous déplacez la souris.

7 Faites pivoter le cadre de manière à ce qu'il soit parallèle à la bordure noire de l'image.

8 Si vous cliquez sur l'une des poignées centrales, vous pouvez modifier la taille du cadre. Les poignées verticales permettent de l'élargir…

… et les poignées horizontales de l'agrandir.

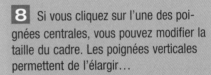

9 Vérifiez que la rotation est suffisante et que la ligne verticale du cadre est bien parallèle à la bordure en faisant glisser les poignées verticales et centrales.

10 Vous pouvez également modifier la taille du cadre à partir des poignées d'angle comme le montre le pointeur.

11 Comme nous voulons couper une partie de l'image, nous faisons glisser le cadre dans l'image.

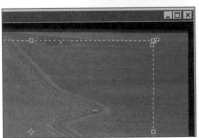

12 Notre cadre a l'aspect suivant après modification de sa taille.

13 Pour recadrer l'image, vous devez double-cliquer à l'intérieur du cadre ou appuyer sur la touche [Entrée].

Toutes les parties qui se trouvaient à l'extérieur du cadre sont coupées et l'image est redressée. L'illustration représente l'image recadrée.

Optimiser automatiquement l'image

Une fois l'image recadrée, nous allons nous intéresser à sa qualité. La méthode la plus simple et la plus rapide est la suivante.

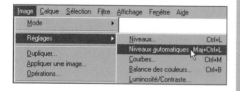

1 Sélectionnez la commande **Image/ Réglages/Niveaux automatiques** ou utilisez le raccourci clavier [Maj] + [Ctrl] + [L].

2 Incroyable ! Photoshop ferait-il des miracles ? C'est ce qu'il semblerait en observant le résultat nettement amélioré.

Cette fonction vaut toujours la peine d'être essayée ; elle permet d'améliorer rapidement une image.

Vous vous demandez sans doute ce qui s'est produit. Cette question est justifiée car la retouche d'images n'est pas de la magie. Examinons le procédé de plus près.

Découvrir le secret de l'image à l'aide de l'histogramme

La cause de la mauvaise qualité de l'image de départ peut non seulement être décelée en regardant l'image mais également à l'aide d'un affichage sous Photoshop.

1 Sélectionnez la commande **Image/ Histogramme**.

2 La boîte de dialogue contient un histogramme. Cette représentation graphique permet d'analyser précisément la qualité d'une image. L'histogramme permet de connaître la fréquence d'utilisation des différentes tonalités de couleur dans l'image. Plus la courbe est

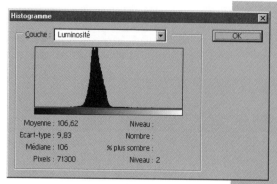

élevée et plus les couleurs correspondantes sont utilisées fréquemment. Les teintes foncées sont représentées à gauche, les claires à droite.

3 L'histogramme de l'image exemple indique clairement qu'elle ne contient ni parties sombres ni parties claires.

C'est la raison pour laquelle l'image est peu contrastée.

Une fois constatée la mauvaise qualité de la représentation graphique de l'image, il reste à savoir comment optimiser cette image sans recourir aux automatismes de Photoshop car ils vous empêchent d'intervenir directement sur l'image.

Modifier manuellement les niveaux

Vous vous demandez sans doute ce que sont les niveaux. Les niveaux sont les teintes de couleur disponibles dans l'image.

Vous pouvez influencer et modifier ces niveaux dans Photoshop afin d'optimiser la qualité de l'image.

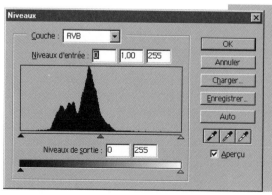

1 Sélectionnez la commande **Image/Réglages/Niveaux**.

2 Vous remarquez tout d'abord qu'un histogramme s'affiche également. Comme sa hauteur a été modifiée, il est légèrement différent du précédent.

La barre située sous le diagramme présente également les teintes foncées à gauche et les teintes claires à droite.

Vous pouvez non seulement consulter les niveaux de l'image mais également les corriger. Examinons comment cela fonctionne.

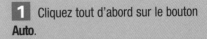 Cliquez tout d'abord sur le bouton **Auto**.

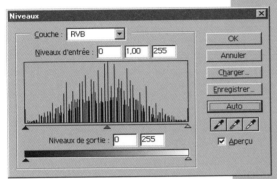

2 Vous pouvez constater que l'histogramme a été considérablement modifié.

Si l'option *Aperçu* est activée, l'image ainsi obtenue correspond au résultat de la commande **Niveaux automatiques**.

3 Comme nous ne voulons pas effectuer les modifications automatiquement, nous allons annuler le changement.

4 Pour annuler les modifications entreprises dans les zones de la boîte de dialogue, vous devez cliquer sur le bouton **Rétablir**.

Vous ne voyez pas ce bouton ?

Appuyez sur la touche [Alt]. Le nom de deux boutons est alors modifié.

5 La zone de liste *Couche* vous permet de modifier toutes les couches de couleur simultanément ou indépendamment. Définissez tout d'abord la couche rouge.

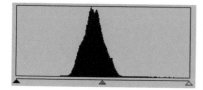

6 L'histogramme est modifié.

Seules les parties rouges de l'image sont affichées. L'histogramme a été modifié mais sa caractéristique a été conservée : même s'il s'agit des teintes rouges, les zones claires et foncées ne sont pas représentées.

Nous allons maintenant nous consacrer à la correction de l'image. Que vous modifiiez toutes les couches RVB simultanément ou séparément, le procédé est identique.

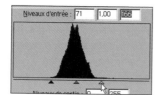

1 Trois petits triangles se trouvent sous l'histogramme. Vous pouvez les déplacer.

2 Cliquez sur le triangle blanc à droite et faites-le glisser à l'extrémité de la courbe vers la gauche.
Le triangle noir de gauche doit aussi être placé au début de la courbe de niveaux.

3 Lors du déplacement des triangles, vous avez peut-être remarqué que les valeurs indiquées au-dessus de l'histogramme sont modifiées. Si vous n'avez pas envie de déplacer les triangles avec la souris, vous pouvez également modifier les valeurs dans les zones de saisie.

4 Cette modification nous a permis de modifier la couche rouge de l'image. Vous pouvez vous en rendre compte immédiatement car toutes les modifications effectuées sont affichées sur l'image, dans la mesure où vous avez activé l'option *Aperçu*.

5 Nous ne voulons évidemment pas qu'une couleur prédomine mais vous avez

ainsi appris à supprimer la domination d'une couleur :
Si les valeurs d'une seule couche sont modifiées, le caractère des couleurs de l'image est modifié.

Niveaux d'entrée : 66 | 1,00 | 144

6 Modifiez maintenant les valeurs de la couche verte…

Niveaux d'entrée : 30 | 1,00 | 117

7 … puis de la bleue.

8 Si vous activez de nouveau la couche RVB, la courbe de niveaux modifiée s'affiche. C'est ainsi que se nomme la courbe représentée par l'histogramme. Vous pouvez effectuer des modifications supplémentaires qui s'appliquent alors à toutes les couches.

Niveaux

Couche : RVB

Niveaux d'entrée : 29 | 1,00 | 219

OK
Annuler
Charger…
Enregistrer…
Auto

Niveaux de sortie : 0 | 255

☑ Aperçu

9 Une valeur n'a pas encore été modifiée : celle du triangle gris qui peut aussi être réglée à partir de la zone de saisie centrale.

Le triangle noir permet de modifier les zones foncées, ou zones d'ombre, et le triangle blanc les zones claires, ou zones lumineuses.

10 La dernière barre graduée modifie les tons moyens de l'image. L'image devient plus claire si vous augmentez la valeur et l'image devient plus foncée si vous réduisez la valeur.

11 Le résultat des modifications est illustré à gauche.

Comme vous pouvez le constater, cette image ressemble à celle créée automatiquement par Photoshop.

Ce n'est pas de la magie... mais de la technique

Nos étapes de travail nous ont démontré que Photoshop ne fait pas de magie. La modification automatique a simplement produit ce que nous avons effectué dans les différentes étapes. Chaque couche est examinée. Tout ce qui se trouve à droite et à gauche de la courbe de niveaux est coupé.

Que s'est-il produit lors des modifications ? Nous avons simplement dissocié la courbe de niveaux existante. Comme il n'y avait pas de pixels complètement noirs ou blancs avant ces étapes de travail, nous y avons remédié.

Nous avons modifié les niveaux d'entrée, comme l'indique la boîte de dialogue.

Comme les deux zones comportent maintenant des niveaux, le résultat est devenu plus contrasté.

Utiliser les calques de réglage

Les modifications que nous avons effectuées sur notre image exemple sont parfaites. Mais que faire si les modifications ne vous plaisent pas et que vous voulez revenir aux anciennes données de l'image afin de réduire le contraste ? Impossible ?

Dans les anciennes versions de Photoshop, c'était effectivement le cas. La nouvelle version de Photoshop vous offre cependant la possibilité de revenir sur votre décision.

Reprenons l'image d'origine.

1 Sélectionnez la commande **Calque/ Nouveau/Calque de réglage**.

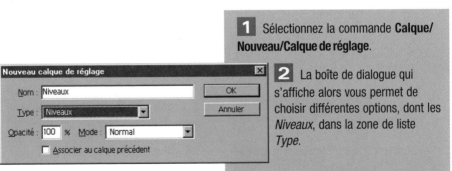

2 La boîte de dialogue qui s'affiche alors vous permet de choisir différentes options, dont les *Niveaux*, dans la zone de liste *Type*.

3 Une fois ce calque de réglage choisi, la boîte de dialogue que vous connaissez déjà apparaît. Vous pouvez y effectuer les modifications.

4 La différence est visible lorsque vous jetez un coup d'œil dans la fenêtre **Calques** après la confirmation de la commande. Une deuxième entrée correspondant au calque de réglage apparaît au-dessus du fond. Quelle est la différence ? Faisons un essai.

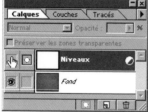

5 Cliquez sur l'icône de l'œil située à gauche du calque de réglage. Lorsque vous cliquez sur cette zone, l'icône de l'œil disparaît. L'image originale réapparaît sans les modifications.

6 L'icône de l'œil vous permet d'afficher ou de masquer des calques. Un nouveau clic sur l'icône affiche de nouveau les modifications. Les calques de réglage ont une fonction très pratique. Ils vous permettent de ne pas modifier les données d'origine ; vous pouvez donc les rétablir à tout moment. Si vous supprimez le calque à l'aide de la commande **Calque/Supprimer ce calque**, par exemple, les données non modifiées sont de nouveau disponibles.

Si vous changez d'avis et que vous voulez de nouveau modifier les valeurs, vous pouvez également procéder de la manière suivante.

1 Double-cliquez sur l'icône se trouvant à l'extrémité de l'entrée. Il s'agit de l'icône du calque de réglage.

2 Le double clic entraîne l'ouverture de la boîte de dialogue **Niveaux** habituelle.

3 Vous pouvez y effectuer vos réglages, puis les confirmer en cliquant sur OK.

Il existe différentes fonctions que vous pouvez atteindre à l'aide de calques de réglage. Malheureusement, ce n'est pas possible avec toutes les fonctions. Ainsi, les filtres ne peuvent pas être définis comme calques de réglage. La prochaine version de Photoshop y remédiera peut-être.

En revanche, les calques de réglage vous permettent de régler la teinte, la saturation et même un négatif. Nous allons examiner l'une des fonctions qui n'en fait pas partie.

Accentuer une image

Comme notre image montre maintenant le contraste correct et la luminosité correspondante, nous allons continuer à la retoucher. L'image n'est pas floue mais elle pourrait être légèrement plus accentuée.

Il existe naturellement une fonction Photoshop appropriée.

1 Sélectionnez tout d'abord le fond dans la fenêtre **Calques** en cliquant sur cette entrée. Elle est alors surlignée en bleu.

2 Sélectionnez la commande **Filtre/ Renforcement/Accentuation**.

La boîte de dialogue contient une zone d'aperçu vous permettant de juger des effets des réglages du filtre.

Lorsque vous activez l'option *Aperçu*, vous pouvez également constater les effets sur l'image originale.

3 La valeur *Gain* vous permet de définir le niveau de l'effet du filtre. Par défaut, nous utilisons la valeur *100*.

4 Vous pouvez conserver les réglages par défaut des deux autres valeurs.

Nous avons ainsi mis en valeur de nombreux détails de l'image de départ. Comparez le résultat obtenu avec l'image de départ.

Nous allons maintenant examiner d'autres fonctions intéressantes pour l'optimisation et la retouche d'images.

Retoucher avec les variantes

Avant de vous lancer dans l'utilisation de fonctions complexes du menu **Image/Réglages**, vous devez tout d'abord vous familiariser avec la commande **Image/Réglages/Variantes**.

La boîte de dialogue qui apparaît vous permet de choisir une modification appropriée à l'aide d'aperçus. Cliquez sur l'une des images afin de modifier l'image de départ, qui se trouve toujours dans le coin supérieur gauche à titre de comparaison. Vous pouvez également exécuter plusieurs modifications simultanément.

Les zones de sélection vous permettent d'appliquer les modifications aux tons moyens, aux ombres ou aux parties claires. Vous pouvez également régler la saturation.

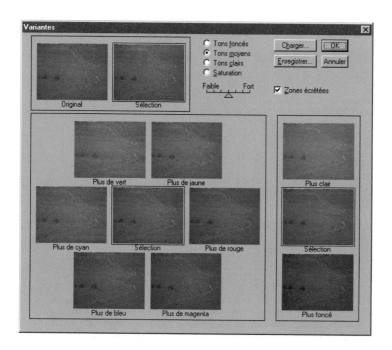

Modifier les couleurs avec le calque de réglage

Vous disposez d'une image très colorée ou vous voulez retoucher une image dont les couleurs sont faussées ? Nous allons vous exposer la marche à suivre et faire des essais à l'aide de l'image ci-contre.

1 Sélectionnez la commande **Image/Réglages/Teinte/Saturation**. Vous pouvez également utiliser le raccourci clavier [Ctrl] + [U].

Cette fonction peut également être activée à partir d'un calque de réglage.

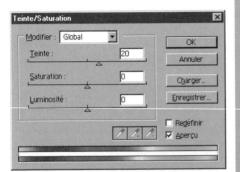

2 Cette commande vous permet d'exécuter des tâches très variées. Nous allons examiner quelques possibilités. La zone de saisie *Teinte* vous permet de modifier les couleurs de l'image. Nous avons essayé deux variantes : l'illustration de gauche suivante présente la valeur positive *20* et celle de droite la valeur négative *-20*.

3 La valeur *Saturation* vous permet de rendre les couleurs plus brillantes, ou saturées, ou plus mates.

4 Nous avons également essayé deux valeurs. L'illustration de gauche suivante présente la valeur négative *-30*. Les couleurs sont sombres.
L'illustration de droite présente la valeur positive *30*. Les couleurs brillent.

5 La troisième barre graduée permet de modifier la luminosité au cas où l'image aurait été assombrie ou éclaircie par la modification des autres valeurs.
Les valeurs négatives assombrissent l'image et les valeurs positives l'éclaircissent.

Modifier les couleurs de certaines parties de l'image

Jusqu'à présent, nous avons toujours modifié les couleurs de l'ensemble de l'image. Il est également possible de procéder différemment.

1 Comme l'option *Global* était activée dans la zone de liste *Modifier*, l'ensemble de l'image était donc modifié.

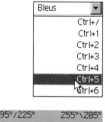

2 Si nous y définissons une autre option, telle que les *Bleus*, toutes les couleurs ne sont plus modifiées, seules le sont celles sélectionnées.
Dans notre exemple, il s'agit des couleurs du ciel car elles sont bleues.

3 Les couleurs concernées dans le spectre sont indiquées dans la barre de couleurs située dans la partie inférieure de la boîte de dialogue.

4 Nous avons essayé deux variantes. Avec la valeur *-60*, nous avons légèrement modifié le bleu mais l'effet est encore réaliste.

En revanche, avec la valeur positive *120*, une image trompeuse mais intéressante a été produite, comme le montre l'illustration de droite.

Redéfinir les couleurs d'une image

Ce n'est pas tout ce que vous pouvez faire avec ces fonctions intéressantes. Vous voulez peut-être transformer l'une de vos nouvelles photos en une image à l'ancienne de couleur sépia, par exemple. Cela ne pose aucun problème avec la commande **Teinte/Saturation**. Nous allons voir comment procéder avec notre première image d'exemple.

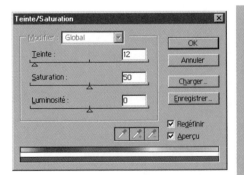

1 Pour colorier une image, vous devez activer l'option *Redéfinir* dans la boîte de dialogue.

2 Le type de teinte est défini par la valeur *Teinte*. La valeur *Saturation* définit l'intensité de la couleur.

3 Nous avons sélectionné une teinte brune pour la coloration. Le résultat est illustré ci-après.

Réunir des images dans un collage

Dans ce chapitre, nous allons réunir plusieurs images dans un collage, comme vous l'avez peut-être déjà fait en rassemblant vos photos dans un album. Cet exercice ne pose aucun problème sous Photoshop.

Choisir les images appropriées

Lors du choix des images, leur origine n'a aucune importance. Elles peuvent provenir d'un scanner, d'un appareil photo numérique ou d'un CD de photos. Nous avons choisi les photos suivantes et nous les avons ouvertes dans Photoshop.

Taille similaire = moins de travail

Lorsque vous les choisissez, vérifiez que les images ont la même taille, vous n'aurez ainsi pas besoin de les redimensionner lors du montage. Il est préférable, comme nous vous l'avons souligné au chapitre précédent, d'optimiser préalablement les images.

Créer un nouveau document

Nous allons tout d'abord créer un nouveau document dans lequel nous collerons les différentes images.

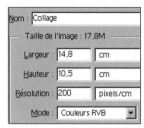

1 Choisissez la commande **Fichier/ Nouveau** puis ajustez la taille du document sur celle d'une carte postale, soit 14,8 x 10,5 cm.

2 Pour que l'image puisse être imprimée avec une qualité optimale sur une imprimante laser ou à jet d'encre couleur, vous devez définir une résolution d'environ 200 pixels/cm.

Le nouveau document vide doit contenir un arrière-plan intéressant. Le blanc n'est pas très passionnant !

1 Nous devons donc tout d'abord définir une nouvelle couleur de premier plan et d'arrière-plan. Par défaut, ces deux couleurs sont le noir et le blanc.

2 Cliquez sur la zone noire afin de modifier la couleur de premier plan.

3 Vous pouvez choisir la couleur dans la boîte de dialogue **Sélecteur de couleur** en cliquant dans la zone de couleur ou à l'aide des zones de saisie.

La couleur choisie devient la couleur de premier plan lorsque vous cliquez sur OK.

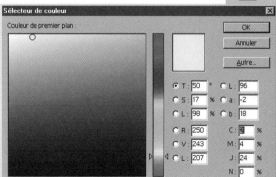

4 La nouvelle couleur s'affiche alors dans la zone de couleur.

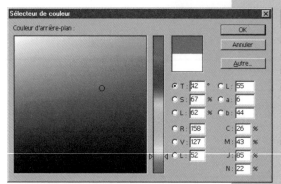

5 Cliquez ensuite sur l'autre zone de couleur pour définir la couleur d'arrière-plan. Les valeurs sont illustrées dans la boîte de dialogue.

La couleur courante est signalée par un cercle dans le sélecteur de couleur.

6 Les deux zones de couleur indiquent maintenant les couleurs choisies.

7 Nous allons remplir l'arrière-plan de l'image. Sélectionnez la commande **Filtre/Rendu/Nuages**.

Ce filtre permet de créer un effet nuageux en utilisant les couleurs de premier plan et d'arrière-plan. C'est la raison pour laquelle nous avions modifié ces deux couleurs. L'arrière-plan doit être mieux mis en forme.

8 Nous utilisons la commande **Filtre/Textures/Placage de texture**. Nous réglons les valeurs suivantes.

9 L'arrière-plan de l'image est mainte-nant terminé. Il est tout de même plus joli qu'un papier blanc, non ?

Une fois le fond terminé, vous devez enregistrer le document.

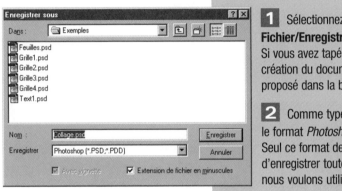

1 Sélectionnez la commande **Fichier/Enregistrer sous**. Si vous avez tapé un nom lors de la création du document, il vous est proposé dans la boîte de dialogue.

2 Comme type de fichier, utilisez le format *Photoshop (*.PSD, *.PDD)*. Seul ce format de fichier permet d'enregistrer toutes les options que nous voulons utiliser.

Vite et bien - importer par glisser-déplacer

Nous devons maintenant transférer les quatre images dans le nouveau document. Cette tâche est très rapide et facile à exécuter avec la souris.

1 Activez l'outil **Déplacement** en appuyant sur la touche V, par exemple.

2 Basculez vers l'une des images que vous voulez insérer. Il suffit de cliquer sur la fenêtre.

3 Cliquez dans l'image et maintenez le bouton de la souris enfoncé.

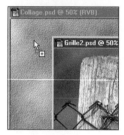

4 Faites glisser le pointeur de la souris dans le document du collage. Le pointeur change d'aspect.

5 Lorsque vous relâchez le bouton de la souris, l'image est insérée dans le document.

Vous pouvez déplacer l'image en la faisant glisser avec la souris.

Un tout harmonieux : équilibrer la taille des images

L'image insérée est un peu trop grande par rapport à la taille du document. Nous allons donc en modifier les dimensions afin d'obtenir un collage harmonieux.

1 Pour modifier ou transformer un calque, vous devez utiliser la commande **Edition/Transformation manuelle** que vous pouvez également activer avec le raccourci clavier `Ctrl` + `T`.

2 Après la sélection de la commande, le calque est entouré d'un cadre, comme avec l'outil **Recadrage**.

3 Vous pouvez faire pivoter le cadre et en modifier la taille.

4 Pour conserver les proportions de l'objet lors de son redimensionnement, appuyez sur la touche `Maj` tout en modifiant sa taille.

Une fois la taille voulue atteinte, double-cliquez dans le cadre. Les modifications entrent alors en vigueur.

Répétez ces différentes étapes avec toutes les images.

Obtenir des transformations identiques

Comme, dans notre exemple, toutes les images de départ ont les mêmes dimensions, nous n'avons pas besoin de nous donner la peine de les transformer à chaque fois. Il suffit de sélectionner la commande **Edition/Transformation/Répéter**. Les mêmes valeurs de transformation sont alors employées.

Après leur insertion, les images doivent être réparties uniformément dans le document afin d'obtenir le résultat suivant. Une fois l'enregistrement exécuté, vous pouvez fermer les images de départ à l'aide de la commande **Fichier/Fermer**.

Chacun le sien : utiliser plusieurs calques

Une fois les images insérées, observez la fenêtre **Calques** : elle contient maintenant plusieurs entrées.

Photoshop a automatiquement créé un calque pour chaque nouvelle image insérée.

Ce mode de travail par calque présente de nombreux avantages.

Ainsi, vous pouvez retoucher l'un des calques sans que les autres n'en soient affectés.

1 Pour activer un autre calque, cliquez sur l'entrée correspondante dans la fenêtre **Calques**.

Un petit aperçu vous aide à identifier le contenu du calque.

2 Après le clic, le calque est surligné en bleu pour indiquer qu'il est actif.

Toutes les modifications que vous exécutez, telles que la modification de la luminosité, s'appliquent exclusivement au calque actif.

Modifier l'ordre de la pile de calques

Vous pouvez vous représenter les calques comme une pile de papier. Les images sont empilées en fonction de leur ordre d'insertion. Ainsi, il est possible que certaines parties des images soient masquées à l'endroit où deux images se superposent. Les parties masquées n'ont pas été supprimées, comme c'était le cas aux premières heures de la retouche d'images. Cet ordre n'est pas définitif. Vous pouvez modifier les positions dans la pile.

1 Cliquez sur le calque que vous voulez déplacer et maintenez le bouton de la souris enfoncé.

Faites glisser la souris à l'endroit où le calque doit être inséré. Une ligne vous aide à vous repérer. Une fois l'emplacement requis atteint, relâchez le bouton de la souris.

2 Lorsque vous relâchez le bouton de la souris, le calque est inséré à son nouvel emplacement.

INFO

Modifier la hiérarchie des calques à l'aide d'une commande

Outre la méthode de glisser-déplacer présentée, vous pouvez utiliser les commandes du sous-menu *Calque/Disposition*. Vous pouvez déplacer le calque actif vers l'avant ou vers l'arrière ou le placer au début ou à la fin de la pile de calques.

Faire du rangement : gérer les calques

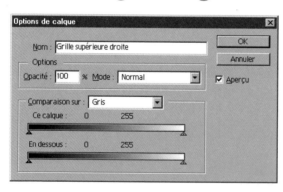

À cause des quatre calques que nous avons insérés, nous avons un peu de mal à nous y retrouver. Plus un document contient de calques et plus on s'y perd.

Vous pouvez renommer un calque en double-cliquant dessus dans la fenêtre **Calques**.

Une boîte de dialogue s'affiche. Le nom figure dans la première zone.

Une fois les calques renommés, leurs noms s'affichent dans la fenêtre **Calques**. Ainsi, vous pouvez vous y retrouver plus facilement qu'avec le nom affecté par défaut aux calques. En utilisant aussi l'aperçu, il est maintenant beaucoup plus facile de trouver le calque correspondant dans le document. Vous disposez également d'un autre avantage. Lorsque vous utilisez l'outil **Déplacement** pour aligner les calques, par exemple, vous n'avez pas besoin de sélectionner un calque dans la fenêtre **Calques**.

Cliquez simplement dans l'image avec le bouton droit de la souris. Un menu contextuel contient tous les calques qui se trouvent sous le pointeur de la souris. Il est alors très facile d'activer le calque approprié.

Modifier la taille de l'aperçu dans la fenêtre Calques

Vous ne parvenez pas à identifier les aperçus de la fenêtre de palettes ? C'est là chose fréquente qui dépend de la résolution d'écran utilisée. Photoshop vous propose une solution.

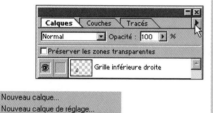

1 La fenêtre **Calques**, comme toutes les autres fenêtres de palettes, comporte une petite flèche en son angle supérieur droit. Lorsque vous cliquez dessus...

2 ... les options supplémentaires apparaissent. La dernière entrée est la commande **Options de palette**.

3 Cette commande ouvre une boîte de dialogue vous permettant de choisir parmi trois tailles d'aperçu. La plus petite taille est définie par défaut.

4 Avec la taille intermédiaire, les aperçus sont plus facilement identifiables.

Si vous voulez voir le nom complet des calques, vous devez agrandir la fenêtre.

Un résultat surprenant grâce aux effets de calque

Nous allons effectuer les dernières étapes de la retouche de notre collage afin de nous familiariser avec les meilleures nouveautés de la dernière version de Photoshop.

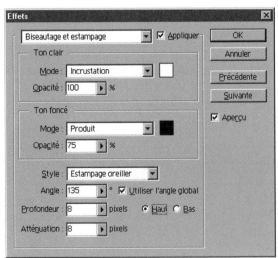

Les effets de calque permettent d'obtenir un résultat très esthétique qui était très difficile à atteindre dans les versions précédentes de Photoshop.

Activez l'un des calques, puis sélectionnez la commande **Calque/ Effets/Biseautage et estampage**. Les modifications que nous avons appliquées aux réglages par défaut sont illustrées dans la boîte de dialogue.

Appliquer les effets de calque sur les autres calques

Il serait très fastidieux de redéfinir ce magnifique effet pour tous les autres calques. Photoshop vous vient heureusement en aide.

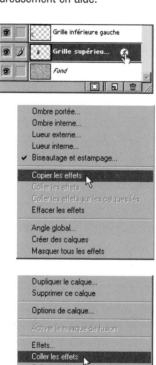

1 Cliquez avec le bouton droit de la souris sur l'icône de l'effet de calque.

2 Un menu s'affiche. Il contient la commande **Copier les effets** qui permet de copier tous les effets définis pour le calque sélectionné.

3 Activez un autre calque et cliquez dessus avec le bouton droit de la souris. Un menu légèrement différent apparaît. Il contient la commande **Coller les effets** qui permet de transférer les effets copiés sur le calque sélectionné.

4 Lorsque vous avez répété ce processus pour tous les autres calques, l'effet est appliqué à tous les calques avec les mêmes réglages.

Gagner du temps : lier les calques

Si vous ne voulez pas exécuter plusieurs fois les mêmes actions, vous pouvez procéder différemment !

Imaginons que vous vouliez déplacer plusieurs calques. Il serait très fastidieux de les déplacer un par un. Photoshop vous permet de lier les calques les uns aux autres.

Une autre zone se trouve à côté de l'icône de l'œil dans la fenêtre **Calques**.

Une petite icône de chaîne apparaît lorsque vous cliquez dessus. C'est l'icône du lien.

Lorsque vous déplacez un calque lié, les autres calques du lien sont tous déplacés simultanément.

Vous devez penser à supprimer ces liens sinon vous risquez de déplacer les mauvais calques : il suffit de cliquer de nouveau sur l'icône.

INFO

Tous ensemble

L'application de l'effet peut aussi être simplifiée. Le menu contextuel comporte alors la commande *Coller les effets sur les calques liés*. Ainsi, tous les calques liés reçoivent le même effet simultanément.

Les liens ne constituent pas toujours une aide

Les calques liés peuvent uniquement être utilisés avec certaines fonctions. Ainsi, il n'est pas possible de modifier les niveaux d'un calque ou de transformer un calque tout en modifiant tous les calques qui y sont liés. Ces fonctions s'appliquent uniquement au calque actif.

Le résultat final du montage

Examinons maintenant le résultat de notre travail. Le jeu en valait la chandelle, n'est-ce pas ? L'effet de calque a permis d'obtenir un résultat très esthétique.

Il semblerait presque que les images soient ancrées dans l'arrière-plan.

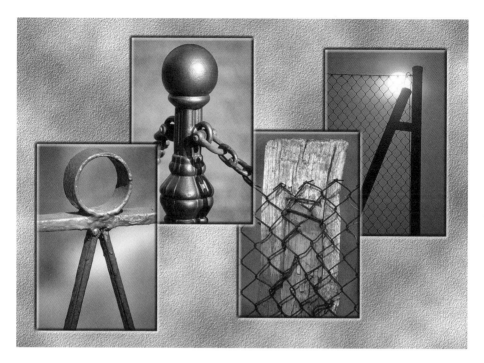

Outre les étapes nécessaires à l'obtention du résultat final, ce chapitre vous a permis d'en apprendre davantage sur l'utilisation des calques qui est l'une des principales fonctions de Photoshop.

Plus vous exploitez les avantages de la technique des calques et plus votre travail sera flexible. Si l'emplacement de l'une des images ne vous plaît plus, il vous suffit de la déplacer.

Vous voulez remplacer l'effet de relief par une ombre portée ? Cela ne pose aucun problème. Désactivez l'option *Appliquer* dans la boîte de dialogue de l'effet et sélectionnez l'effet **Ombre portée**. Activez l'option *Appliquer* et modifiez les réglages. Rien n'est plus facile !

Retoucher une partie de l'image

Jusqu'à présent, nous avons presque toujours modifié l'ensemble d'une image ou le contenu d'un calque. Que faire pour retoucher uniquement une partie de l'image ?

Utilisons l'image d'une pièce comme exemple. La pièce elle-même nous convient et nous n'allons pas la retoucher.

En revanche, le fond pourrait être affiché dans une autre couleur afin de mieux mettre en valeur la pièce.

Que diriez-vous d'un bel effet de calque pour accentuer la pièce ?

Quelques réflexions

Parfait, vous dites-vous. Vous savez comment procéder : vous avez déjà utilisé la fonction **Teinte/Saturation** et les effets de calque.

Vérifions si ces premières réflexions sont correctes.

Au chapitre 3, vous avez appris que la fonction **Teinte/Saturation** permet de délimiter la zone de couleur à retoucher.

Malheureusement, cette possibilité ne nous est d'aucune utilité car la pièce a une teinte assez proche de celle de l'arrière-plan. Certes, le résultat est très beau mais il ne correspond pas à l'objectif requis.

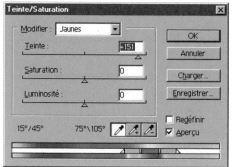

Convertir le fond en calque

Et l'effet de calque ? Cela ne donne malheureusement rien non plus car l'image n'a pas de calque mais uniquement un fond. Les effets de calque ne peuvent donc pas être sélectionnés.

Photoshop vous offre néanmoins une option permettant de convertir le fond en calque. Faisons un essai afin de vérifier si cette variante permet d'atteindre l'objectif souhaité.

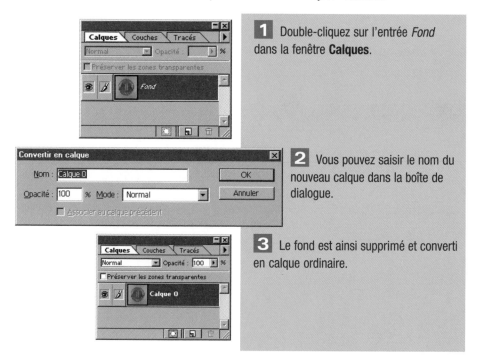

1 Double-cliquez sur l'entrée *Fond* dans la fenêtre **Calques**.

2 Vous pouvez saisir le nom du nouveau calque dans la boîte de dialogue.

3 Le fond est ainsi supprimé et converti en calque ordinaire.

4 Comme il s'agit maintenant d'un calque habituel, vous pouvez lui appliquer les effets de calque.

Essayons l'effet **Biseautage et estampage** avec le style *Biseau interne*.

Le résultat obtenu est parfait mais ce n'est pas non plus le but souhaité.

INFO

Convertir un calque en fond

Si vous avez transformé un fond en calque, l'image n'a plus de fond. Sélectionnez la commande *Calque/Nouveau/Fond* pour créer un nouveau fond. Ce fond reçoit alors la couleur d'arrière-plan active.

Comme les tentatives précédentes n'ont pas permis d'atteindre l'objectif recherché, nous devons trouver une autre solution. Photoshop dispose des outils permettant de réaliser ce type d'exercice.

Les zones de sélection

Le premier bloc de la palette d'outils réunit de nombreux outils permettant de sélectionner une partie de l'image. C'est la raison pour laquelle ces outils se nomment des outils de sélection.

Pour sélectionner des zones irrégulières, vous devez activer l'un des outils se trouvant dans le menu déroulant du premier bouton.

Pour nous familiariser avec son mode de fonctionnement, nous allons voir ce qui se produit lors du masquage.

1 Activez l'outil **Rectangle de sélection**. La méthode la plus rapide consiste à appuyer sur la touche [M].

2 Faites glisser la souris afin de tracer un cadre. Une ligne en pointillé vous indique la taille du cadre.

3 Lorsque vous relâchez le bouton de la souris, un cadre scintillant apparaît : il encadre la zone sélectionnée.

Qu'a apporté cette sélection ? Aucune différence n'apparaît dans l'image.

4 Effectuez une modification quelconque dans l'image. Nous avons fortement éclairci les niveaux de l'image.

Vous pouvez constater que les modifications ont uniquement été appliquées à la zone sélectionnée.

Nous avons enfin atteint notre objectif : seule une partie de l'image a été sélectionnée.

Annuler une modification

Pour annuler la modification, utilisez le raccourci clavier Ctrl + Z. La dernière action est alors annulée.

Sélectionner l'outil de sélection approprié

Comme vous l'avez déjà constaté, outre le rectangle, il existe d'autres formes d'outils de sélection. Ces outils permettent aussi de sélectionner une zone de l'image.

Outre des formes géométriques, vous pouvez également sélectionner des zones d'images

complexes à l'aide du **Lasso** et du **Lasso polygonal**.

Examinons le mode de fonctionnement du **Lasso polygonal** identifiable à son icône angulaire.

Annuler une sélection

Si vous avez déjà créé une sélection, vous pouvez l'annuler en cliquant de nouveau dans l'image. Il n'est pas nécessaire de changer d'outil. Vous apprendrez à sauvegarder des zones de sélection un peu plus loin dans ce chapitre.

1 Cliquez à l'endroit où la zone de sélection doit commencer.

2 Lorsque vous déplacez la souris, vous pouvez remarquer qu'une ligne est affichée. Le premier point du clic est inamovible. À chaque nouveau clic, vous fixez d'autres points. Ainsi, vous pouvez progressivement délimiter tout le contour de la pièce.

3 Lorsque vous placez le pointeur de la souris sur le point de départ, il change d'aspect afin de vous indiquer que la forme sera refermée au prochain clic.

Vous pouvez également placer le dernier point à un emplacement quelconque, puis double-cliquer. Le dernier point est alors relié en ligne droite au point de départ.

4 Après la fermeture de la forme, vous obtenez une zone de sélection complexe.

Sélectionner à l'aide de la Baguette magique

Il serait très long de sélectionner des zones de cette manière. De plus, la sélection n'est pas très précise. Photoshop vous vient évidemment en aide.

L'outil de sélection **Baguette magique**, qui peut être activé avec la touche $\boxed{\text{W}}$, vous permet de masquer facilement des zones irrégulières.

Faisons un essai afin de découvrir le mode de fonctionnement de cet outil.

1 Cliquez sur un emplacement quelconque de l'arrière-plan, à droite de la pièce, par exemple.

2 Photoshop sélectionne alors une zone irrégulière.

Que s'est-il produit ?

Photoshop a examiné l'endroit où vous avez cliqué dans l'image. Ensuite, tous les pixels environnants ayant la même teinte ont été intégrés dans la sélection.

3 Les couleurs ne doivent pas nécessairement être identiques. Il suffit qu'elles soient proches de celle sur laquelle vous avez cliqué.

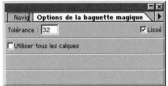

4 La palette **Options de la baguette magique** permet de définir le degré de similitude des couleurs pour qu'elles soient incluses dans la sélection.
L'option devant être définie se nomme *Tolérance*. Plus cette valeur est élevée et moins les couleurs doivent être proches pour être insérées dans la sélection.

5 La valeur par défaut *32* est généralement suffisante. Cliquez sur un autre emplacement du fond pour faire un deuxième essai.

Le nouveau point est illustré à gauche. Comme le fond y a une couleur légèrement différente, la zone de sélection n'est pas la même. La majeure partie du fond est maintenant sélectionnée.

Boucher les trous - compléter une zone de sélection

Nous devons maintenant boucher les trous qui, dans la sélection, n'ont pas été atteints par la Baguette magique.

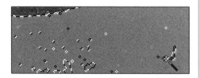

1 Pour que le clic n'annule pas la sélection existante, vous devez maintenir la touche [Maj] enfoncée.

Le petit signe + à gauche de la Baguette magique indique le nouveau mode de sélection.

Cliquez pour compléter la sélection. L'ancienne zone est conservée et les nouveaux pixels sont ajoutés à la zone.

2 Vous pouvez utiliser tous les outils de sélection disponibles pour compléter la sélection. Si une zone ne peut pas être ajoutée avec la Baguette magique, vous pouvez utiliser le **Lasso polygonal** afin d'inclure la zone comme le montre l'illustration.

3 Notre sélection semble tout à fait correcte lorsque toutes les zones y ont été insérées. Le fond est entièrement sélectionné.

4 Pour les étapes de travail suivantes, nous avons besoin de la sélection inverse, c'est-à-dire de la pièce.La commande **Sélection/Intervertir** permet d'inverser la sélection.

La pièce est alors sélectionnée et il n'y a plus de ligne en pointillé autour de l'image.

Enregistrer et charger une zone de sélection

La sélection de zones d'image ne serait pas d'une grande utilité si vous ne pouviez pas enregistrer le masque. Comme elle disparaît lorsque vous en sélectionnez une nouvelle, le fruit de votre travail serait anéanti ! Photoshop vous permet donc de sauvegarder des zones de sélection afin de pouvoir les charger ultérieurement.

1 Sélectionnez la commande **Sélection/Mémoriser la sélection**. Vous pouvez attribuer un nom à la sélection dans la boîte de dialogue.

2 Après l'enregistrement, une nouvelle entrée s'affiche dans la fenêtre **Couches**. Une représentation noir et blanc de la sélection y figure.

3 Pour charger une couche alpha enregistrée, vous pouvez utiliser la commande **Sélection/Récupérer la sélection**. Autre méthode plus rapide : cliquez sur l'entrée dans la fenêtre **Couches** tout en appuyant sur la touche [Ctrl].

Comme nous avons séparé la pièce du fond, nous pouvons la retoucher indépendamment du fond. Examinons les possibilités qui nous sont offertes.

Copier des zones d'image

Nous devons tout d'abord afficher la pièce sans le fond. Le masquage facilite cette tâche. Sélectionnez la commande **Calque/Nouveau/Calque par Copier** ou utilisez le raccourci clavier [Ctrl] + [J]. L'aspect de l'image n'est pas modifié, si ce n'est que la sélection disparaît.

Une différence est néanmoins notable dans la fenêtre **Calques**. Elle contient en effet désormais deux entrées.

Pour vérifier que l'image a bien été modifiée, nous allons masquer le fond en cliquant sur l'icône de l'œil qui le précède.

Le but est atteint : la pièce apparaît sans le fond. L'écran ne pouvant afficher des éléments transparents, Photoshop utilise un motif à carreaux que vous pouvez modifier dans les préférences.

Utiliser les calques

Comme la pièce est maintenant séparée du fond et se trouve sur un calque distinct, vous pouvez y appliquer un effet de calque, par exemple.

1 Vérifiez que le calque de la pièce est activé.

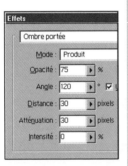

2 Nous allons appliquer un autre effet de calque. Sélectionnez la commande **Calque/Effets/Ombre portée**. Nous utilisons les valeurs indiquées.

3 Comme prévu, l'ombre est appliquée à la pièce.

Comme le calque de la pièce se trouve sur le fond, l'ombre est projetée sur le calque du fond.

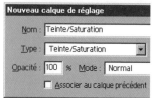

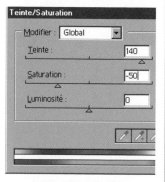

4 Sélectionnez le calque du fond en cliquant sur son entrée dans la fenêtre **Calques**.

5 Le fond doit maintenant être colorié. Pour pouvoir supprimer les modifications par la suite, nous utilisons la commande **Calque/Nouveau/Calque de réglage** avec le type *Teinte/Saturation*.

6 Nous modifions l'une des teintes afin qu'elle soit plus verte.

Le vert étant trop intense, nous réduisons fortement la saturation.

7 Lors de l'activation de la commande, le fond était actif : le calque de réglage est donc inséré au-dessus du fond.

Ainsi, les modifications s'appliquent exclusivement au fond. Le calque de la pièce n'en est pas affecté.

8 Ces modifications produisent un autre résultat intéressant. Naturellement, vous pouvez effectuer bien d'autres changements sur le calque du fond ou utiliser un fond entièrement différent.

9 Lorsque vous masquez le calque de la pièce, vous pouvez constater que la pièce est également colorée sur le fond. Cela ne se voit pas car le calque de la pièce le recouvre.

Retoucher des images avec l'outil Tampon

Quelques défauts apparaissent dans le fond. Vous ne les avez peut-être pas remarqués mais ils nous donnent l'occasion de vous expliquer comment les éliminer.

1 Commencez par agrandir l'image pour bien voir le défaut.

Activez l'outil **Loupe** dans la palette d'outils ou appuyez sur la touche Ⓩ.

Placez le pointeur de la souris à l'emplacement du défaut et cliquez dessus. La taille d'affichage est agrandie au taux suivant, *200 %* dans notre cas.

Pfennig.tif @ 200% (Fond.RVB)

2 Le centre de la vue grossie se trouve à l'endroit où vous avez cliqué sur l'image.

Les défauts sont plus faciles à retoucher avec une vue grossie.

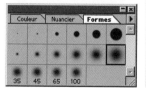

3 Nous avons maintenant besoin d'une forme appropriée. Choisissez une forme ayant un bord adouci dans la fenêtre **Formes**.

Retoucher **une partie** de l'image

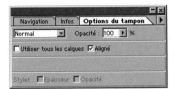

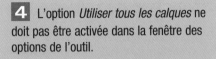

4 L'option *Utiliser tous les calques* ne doit pas être activée dans la fenêtre des options de l'outil.

5 Vérifiez que le fond est sélectionné.

6 Activez l'outil **Tampon** dans la palette d'outils en appuyant la touche ⑤.

Définir un nouveau point d'origine

Pour définir un nouveau point d'origine, cliquez tout en appuyant sur la touche Alt. Ensuite, faites les retouches avec le nouveau point d'origine.

7 Placez le pointeur de la souris à proximité du défaut.

Cliquez une fois dans l'image en maintenant la touche Alt enfoncée afin de définir le point d'origine.

8 Le défaut sera recouvert avec ce point d'origine. Faites glisser la souris sur le défaut et cliquez.
"Tamponnez" la zone en cliquant plusieurs fois sur le défaut avec le bouton gauche de la souris jusqu'à ce que la tâche ne soit plus visible.

9 Examinez l'image afin de supprimer tous les défauts et poussières.

Les étapes sont identiques pour tous les défauts.

Nous avons terminé cet atelier.

Des effets de texte impressionnants

Vous en rencontrez partout : sur les sites Web, les prospectus, les affiches ou tout autre imprimé. Les textes mis en forme font partie de votre quotidien et nombreux sont ceux qui ont été créés avec Photoshop. Dans les versions précédentes de Photoshop, la mise en forme était assez difficile car aucune aide n'était apportée à l'utilisateur. Même la réalisation d'ombres adoucies nécessitait de nombreuses étapes.

Les nouveaux calques de texte

Jusqu'à présent, les utilisateurs de Photoshop devaient faire face à d'autres lacunes : il était impossible de modifier un texte ou ses attributs de caractères sans le reconstruire entièrement. Dans la dernière version de Photoshop, les choses ont considérablement évolué. Il est désormais très amusant de créer des textes. Outre les effets de calque modifiables, il existe également des calques de texte autorisant les modifications ultérieures.

Créer un fond pour le texte

Avant de découvrir les possibilités de la mise en forme de texte, nous devons définir un fond.

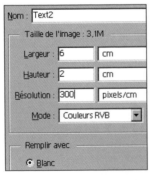

1 Créez un nouveau document à l'aide de la commande **Fichier/Nouveau** ou du raccourci clavier Ctrl + N.
Notre image doit mesurer 6 x 2 cm et nous choisissons une résolution de *300 pixels/ cm* pour que l'impression soit parfaite.

2 Comme nous voulons de nouveau utiliser le filtre de rendu **Nuages**, nous devons redéfinir les couleurs de premier plan et d'arrière-plan en choisissant deux nuances de vert.

Pour plus d'informations sur la sélection des couleurs, reportez-vous au chapitre précédent.

3 Le fond nuageux a un aspect intéressant mais nous allons le transformer.

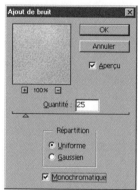

4 Sélectionnez la commande **Filtre/Bruit/Ajout de bruit**.

Les réglages utilisés sont illustrés ci-contre.

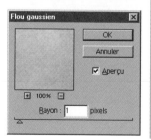

5 Nous estompons ensuite les points obtenus à l'aide de la commande **Filtre/Atténuation/Flou gaussien** et nous définissons un rayon de 1 pixel.

Cette étape permet de retoucher le fond afin de le rendre plus original.

Utiliser la boîte de dialogue Texte - sélectionner les réglages appropriés

Il faut maintenant insérer le texte. Vous allez voir que les procédures d'insertion et de modification de texte sont très simples. Seules quelques étapes suffisent.

1 Le menu déroulant **Texte** de la palette d'outils contient quatre outils, deux pour le texte horizontal et deux pour le texte vertical. Nous avons besoin de l'outil texte horizontal reconnaissable à l'icône noire pleine.

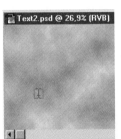

2 Un pointeur d'insertion apparaît lorsque vous placez le pointeur de la souris dans l'image. Cliquez dans la partie gauche de l'image...

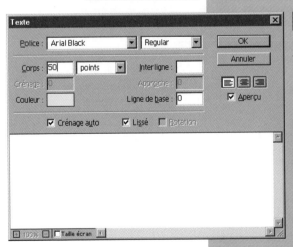

3 ... afin d'ouvrir la boîte de dialogue **Texte**.

Vous pouvez commencer par définir les attributs du texte ou bien saisir d'abord le texte, puis modifier les attributs.

Le texte s'affiche dans la grande zone blanche.

4 Si vous ne voyez qu'une petite partie du texte après l'avoir saisi…

5 … vous devez activer l'option *Taille écran* dans la partie inférieure de la boîte de dialogue. Ainsi, la taille de l'aperçu est modifiée afin d'être adaptée à la taille du texte.

6 Une fois le texte saisi, vous pouvez vérifier les attributs des caractères sur l'image de départ. Si la boîte de dialogue masque l'image, cliquez sur la barre de titre et déplacez la boîte de dialogue afin d'afficher l'image.

7 Si le texte dépasse de la fenêtre de l'image, placez le pointeur de la souris sur l'image.

Vous pouvez constater qu'il se transforme en pointeur de déplacement. Cliquez sur le texte pour pouvoir le déplacer et l'afficher entièrement.

Modifier les attributs de caractères

Vous pouvez modifier les attributs de caractères après avoir saisi le texte.

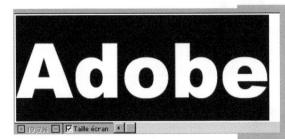

1 Double-cliquez sur le mot pour le sélectionner ou sélectionnez toutes les lettres en faisant glisser la souris, comme vous en avez l'habitude avec les programmes de traitement de texte.

Les lettres sélectionnées sont surlignées et vous pouvez en modifier les attributs.

2 Définissez la police qui vous plaît dans la zone *Police*. La liste contient toutes les polices installées sous Windows.

3 Modifiez la taille des caractères dans la zone de saisie *Corps* afin que le texte soit adapté à la taille de la fenêtre. Avec la police que nous avons sélectionnée, une taille de *50 points* est correcte.

La zone de liste située à droite permet de modifier l'unité de mesure afin de sélectionner le réglage *pixels*. Vous préférez peut-être utiliser cette unité de mesure.

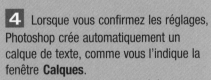

4 Lorsque vous confirmez les réglages, Photoshop crée automatiquement un calque de texte, comme vous l'indique la fenêtre **Calques**.

Les calques de texte sont repérés par une icône représentant un T.

5 Comme les autres calques, les calques de texte peuvent être transformés. Vous pouvez en modifier la taille, les faire pivoter et les déformer.

Aligner des calques

Lorsque vous liez des calques, une commande intéressante apparaît dans le menu **Calque** : **Aligner les calques liés**.

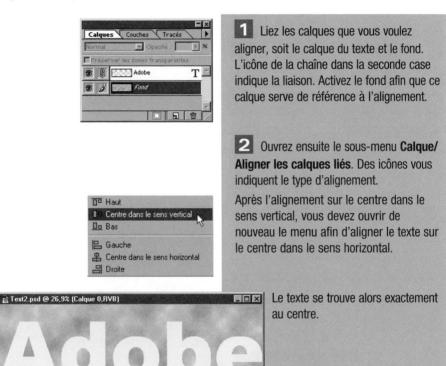

1 Liez les calques que vous voulez aligner, soit le calque du texte et le fond. L'icône de la chaîne dans la seconde case indique la liaison. Activez le fond afin que ce calque serve de référence à l'alignement.

2 Ouvrez ensuite le sous-menu **Calque/ Aligner les calques liés**. Des icônes vous indiquent le type d'alignement.

Après l'alignement sur le centre dans le sens vertical, vous devez ouvrir de nouveau le menu afin d'aligner le texte sur le centre dans le sens horizontal.

Le texte se trouve alors exactement au centre.

Un peu de 3D - ajouter des effets de calque

Les effets de calques peuvent être appliqués sur tous les calques, même les calques de texte. Nous allons utiliser plusieurs effets de calque.

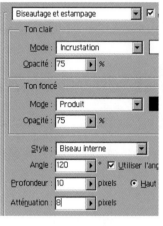

1 Sélectionnez la commande **Calque/ Effets/Biseautage et estampage**.

Choisissez l'option *Biseau interne* dans la zone de liste *Style* et déterminez les valeurs illustrées ci-contre.

2 Recherchez l'option *Ombre portée* dans la première zone de liste.

Aucune zone n'est disponible lors du choix de cette option ; vous ne pouvez modifier les réglages qu'après avoir activé l'option *Appliquer*.

3 Nous avons utilisé les réglages ci-contre pour l'ombre portée.

L'option *Utiliser l'angle global* permet d'appliquer le même angle d'éclairage à tous les effets définis.

Plaquer une texture sur le texte

Comme vous l'avez sans doute remarqué dans la boîte de dialogue **Texte**, les caractères peuvent recevoir une seule couleur si vous voulez conserver les possibilités de modification. La couleur peut être modifiée dans la boîte de dialogue de texte *via* le sélecteur de couleur (ouvert par un clic sur la zone de couleur). Cependant, vous devez recourir à une astuce pour plaquer différentes surfaces sur le texte.

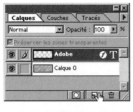

1 Activez la fenêtre **Calques** et sélectionnez le calque de texte (nous avons supprimé la liaison après l'aligne-ment du texte). Cliquez sur l'icône représentant une feuille de papier afin de créer un nouveau calque vide.

2 Le nouveau calque est inséré au-dessus du calque sélectionné. L'image n'est pas modifiée car le nouveau calque est vide.

3 Sélectionnez le nouveau calque afin de le remplir. Ensuite, la commande **Edition/Remplir** vous permet de définir le remplis-sage du calque. Dans la zone de liste *Remplir Avec*, nous choisissons l'option *Blanc*.

4 L'image est maintenant entièrement blanche et ne présente pas un grand intérêt. Cliquez sur la zone de liste supérieure dans la fenêtre **Calques**.

5 Sélectionnez la commande **Produit** dans le menu qui s'affiche. L'image reprend alors l'aspect qu'elle avait avant le remplissage.

6 Utilisez maintenant le raccourci clavier [Ctrl] + [G] afin de grouper les deux calques. Ce groupe est identifié par le décalage de l'entrée dans la fenêtre **Calques**.

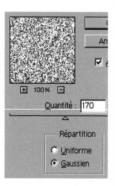

7 Nous appliquons de nouveau le filtre **Filtre/Bruit/Ajout de bruit** à ce calque mais en réglant de nouvelles valeurs. Vérifiez que le nouveau calque est actif.

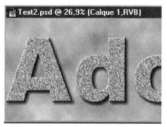

8 Le texte est déjà plus intéressant.

9 Pour que les taches soient plus discrètes, nous appliquons le filtre **Atténuation/Flou**.
Ce filtre ne comporte pas d'options de réglages.

10 La dernière étape consiste à modifier la couleur du texte. Double-cliquez sur l'icône du T dans la fenêtre **Calques** afin d'ouvrir la boîte de dialogue **Texte**.

11 Cliquez sur la zone *Couleur* afin d'ouvrir le sélecteur de couleur.

Vous pouvez alors modifier la teinte en cliquant sur une couleur dans la colonne verticale.

Choisissez ensuite une teinte appropriée dans la grande zone de couleur. Nous choisissons un rose.

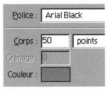

12 Une fois votre choix confirmé par un clic sur OK, la nouvelle couleur s'affiche dans la zone de couleur de la boîte de dialogue **Texte**. Refermez-la en cliquant sur OK.

C'est fini ! Il est impossible de deviner avec quelle facilité ce texte a été créé !

INFO

Calques de texte et effets de calque

Les calques de texte peuvent être modifiés à tout moment. Si la police, l'effet de calque utilisé ou la couleur ne vous plaît plus, cliquez sur l'icône de l'effet ou du texte pour effectuer de nouveaux réglages ou saisir un autre texte dans les boîtes de dialogue habituelles.

Autre exemple - deux en un

Examinons maintenant comment créer rapidement d'autres variantes de ce texte. C'est très facile grâce à la technique des calques.

Utiliser l'outil Dégradé

Nous allons profiter de cet exemple pour vous présenter l'outil **Dégradé** qui permet de créer des dégradés de plusieurs couleurs.

1 Le menu déroulant des dégradés comporte cinq outils. Ils permettent de créer différentes formes de dégradés. Nous choisissons l'outil **Dégradé linéaire** dont le bouton est illustré ci-contre.

2 Vous pouvez définir le type de dégradé dans les options de l'outil. Sélectionnez l'option *Chrome* dans la zone de liste *Dégradé*.

3 Ensuite, activez le calque de la texture en cliquant sur son entrée dans la fenêtre **Calques**.
Redéfinissez le mode de recouvrement *via* l'option *Normal*.

4 Une croix apparaît lorsque vous placez le pointeur de la souris dans l'image. Cliquez légèrement au-dessous du sommet d'une lettre et maintenez le bouton de la souris enfoncé.
Faites ensuite glisser la souris juste au-dessous du texte comme illustré ci-contre. Maintenez la touche (Maj) enfoncée afin de tracer une ligne à angle droit par rapport au texte.

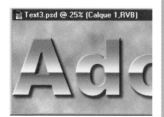

5 Le dégradé apparaît lorsque vous relâchez le bouton de la souris. Le résultat est intéressant, non ?

6 Nous voulons également modifier l'effet de calque. Cliquez sur l'icône de l'effet, représentant un "f", dans la fenêtre **Calques**.

7 Choisissez le réglage *Ombre portée*. Désactivez cet effet par un clic sur l'option *Appliquer*.

L'ombre est alors masquée car nous n'en avons plus besoin.

8 Sélectionnez l'effet *Biseautage et estampage* et définissez l'option *Estampage oreiller* dans la zone *Style*. Activez aussi l'option *Bas*.

9 Le contour du texte est renforcé.

10 Le fond doit aussi recevoir un dégradé. Cette fois, nous utilisons l'option *Bleu, rouge, jaune*.

11 Activez le calque du fond.

12 Le dégradé va du bord supérieur au bord inférieur de la fenêtre. Appuyez également sur la touche [Maj] afin d'obtenir un dégradé vertical.

Nous avons ainsi obtenu un nouveau résultat en quelques étapes.

Vous voulez mettre en valeur le texte chromé en y ajoutant quelques points brillants ? Voici comment procéder.

1 Affichez les options de la fenêtre **Formes** en cliquant sur la flèche dans la barre de titre.

La commande **Charger une palette** s'affiche alors.

Photoshop vous fournit quelques formes d'outils supplémentaires réunies dans le dossier Photoshop Goodies/Brushes. Chargez le fichier Assorted Brushes.abr.

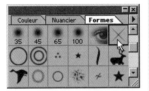

2 La fenêtre **Formes** contient maintenant de nouvelles entrées représentant différents symboles.

Vous pouvez notamment y voir une forme d'étoile.

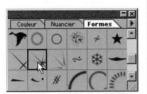

3 Faites défiler la fenêtre afin de voir les différentes formes d'outil.

Il existe quatre formes d'étoile dont nous avons besoin pour notre exercice.

4 Activez le calque supérieur dans la fenêtre **Calques** et créez un nouveau calque en cliquant sur l'icône de la feuille de papier.

Les éclats lumineux seront disposés sur ce calque.

5 Définissez une couleur de premier plan blanche.

6 Activez l'outil **Pinceau** dans la palette d'outils en appuyant sur la touche Ⓑ.

7 Cliquez avec le pinceau sur l'un des bords d'une lettre à l'endroit où l'éclat est le plus réaliste.

8 Pour que l'éclat soit bien visible, vous devez cliquer plusieurs fois au même endroit.
Ne déplacez pas la souris sinon plusieurs étoiles apparaîtront.

9 Placez des éclats sur toutes les lettres en utilisant des formes d'étoiles différentes.

Voici le résultat obtenu.

Enregistrer sous un autre nom

Pour ne pas remplacer le fichier du premier texte lors de l'enregistrement, vous devez utiliser la commande **Fichier/Enregistrer sous**.

Saisissez le nouveau nom dans la boîte de dialogue mais conservez le type de fichier *Photoshop (*.PSD, *.PDD)*.

Une police décorée

Examinons une autre variante très rapide à réaliser. Nous voulons vous présenter quelques fonctions que vous ne connaissez pas encore. Nous allons modifier le premier exemple créé.

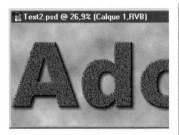

1 Activez le calque de texture et appliquez le filtre **Artistiques/Contour postérisé**.
Les motifs apparaissent plus nettement.

2 Définissez l'option *Densité couleur +* comme mode de recouvrement...

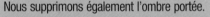

3 ... afin d'obtenir des couleurs plus lumineuses.

4 Pour obtenir un effet totalement différent, nous allons définir un nouvel effet de calque.

Nous choisissons l'option *Estampage oreiller* et nous activons l'option *Haut*.
Nous supprimons également l'ombre portée.

5 Le contour de la police semble imprimé sur le fond.

6 Nous choisissons une teinte orangée comme nouvelle couleur de la police.

7 Activez maintenant le calque du fond.

8 Modifiez la couleur du fond à l'aide de la commande **Image/Réglages/Teinte/Saturation** et des valeurs illustrées ci-dessous.

La saturation nettement accrue permet d'obtenir une couleur lumineuse.

Supprimer un calque

Il est inutile de conserver tous les calques séparément. Vous pouvez les supprimer ou les réunir de différentes manières.

> **INFO**
>
> **Avantages et inconvénients des calques**
>
> Les calques sont très simples à manipuler mais ils présentent un inconvénient majeur : ils occupent de l'espace disque. Plus un document contient de calques et plus le fichier est volumineux.

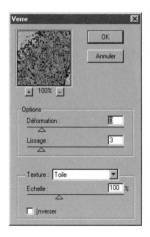

1 Si vous voulez réunir deux calques, vous pouvez utiliser la commande **Calque/Fusionner avec le calque inférieur** ou le raccourci clavier Ctrl + E.

2 Pour supprimer tous les calques, vous pouvez sélectionner la commande **Calque/Aplatir l'image**. Nous utilisons cette variante pour notre exemple.

3 Ensuite, nous appliquons le filtre **Déformation/Verre** avec les réglages illustrés.

Nous obtenons ainsi le résultat suivant.

Prudence avec l'aplatissement des calques

Pour réaliser l'effet présenté, il faut absolument aplatir le calque de texte, l'effet de calque et la texture avec le fond.

Cet aplatissement a également pour conséquence d'interdire toute modification du texte ou de l'effet de calque. Nous avons donc enregistré le résultat sous un autre nom afin de pouvoir effectuer des modifications sur l'ancienne version du fichier.

Des effets étonnants

Les filtres d'effet sont généralement les premières fonctions testées par l'utilisateur. Tous les programmes de retouche d'images proposent différents filtres permettant de transformer les images. Faites attention car rapidement vous ne pourrez plus vous en passer. Vous pourrez passer des heures à créer de multiples variantes d'une image...

Quel est l'effet approprié ?

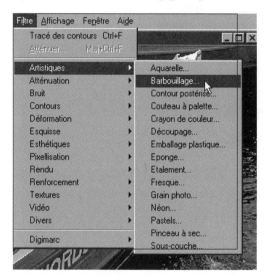

Pour vous aider à vous y retrouver, les développeurs de Photoshop ont regroupé les filtres dans différents sous-menus.

Le nom des commandes vous permet d'identifier approximativement le résultat de l'effet.

Ainsi, le menu **Filtre/Artistiques** regroupe 15 commandes permettant de créer des images ressemblant à un tableau.

Les résultats sont-ils toujours à la hauteur des promesses ?

Ne soyez pas trop exigeant ! Certains filtres ne seront peut-être pas à la hauteur de vos attentes. Ainsi, le résultat du filtre artistique *Pastels* ne ressemble pas beaucoup à un dessin au pastel traditionnel.

Les boîtes de dialogue des filtres

Nous allons essayer l'un des filtres artistiques afin de vous montrer les points auxquels vous devez faire attention.

1 Ouvrez l'image que vous voulez transformer.

2 Sélectionnez un filtre. Nous utilisons le filtre **Artistiques/Crayon de couleur**.

Toutes les boîtes de dialogue de filtres contiennent une zone d'aperçu vous permettant d'évaluer l'effet du filtre.

INFO

Effet du filtre sur l'ensemble de l'image

Certains filtres permettent d'observer le résultat sur l'image originale. C'est notamment le cas du *Flou gaussien*. Ces filtres sont reconnaissables à l'option *Aperçu*. Lorsque vous l'activez, vous pouvez voir l'effet des réglages sur l'image. Toutefois, vous devez patienter pendant le calcul de l'effet. Un trait clignote alors sous l'option *Aperçu*.

3 Vous pouvez grossir ou réduire l'aperçu en cliquant sur les boutons + et -.

Si un trait apparaît sous la taille d'affichage, cela signifie que l'effet du filtre est en cours de calcul.

4 Pour modifier l'extrait visible, placez le pointeur de la souris dans l'aperçu. Il se transforme alors en une main.

Vous pouvez déplacer l'aperçu en maintenant le bouton de la souris enfoncé.

5 Les filtres comportent différentes options permettant d'en modifier les effets.

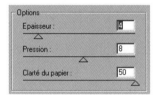

6 Vous pouvez effectuer les réglages à l'aide des règles ou des zones de saisie.

Le déplacement du petit triangle à l'aide de la souris peut parfois être très fastidieux, notamment avec une résolution d'écran élevée.

INFO

Évaluation plus précise à 100 %

Il n'est pas recommandé de modifier la taille de l'aperçu. En effet, la plupart des filtres peuvent uniquement être évalués de manière objective avec une taille d'affichage de 100 %. L'image est sinon faussée et difficile à évaluer.

7 Lorsque vous avez fini de tester les différents réglages, vous pouvez appliquer le filtre en cliquant sur OK.

Mais attention, le temps de calcul du filtre peut être relativement long selon le filtre utilisé et surtout selon la taille de l'image.

Un affichage vous indique l'état d'avancement du calcul dans la barre d'état.

Si tout s'est passé normalement et que vous avez réglé les valeurs appropriées, vous serez récompensé, après un temps de calcul relativement long, par un résultat fort satisfaisant.

Le temps d'attente vous paraît excessivement long (surtout si votre ordinateur n'est pas très puissant) ? Pensez au temps qu'il vous aurait fallu pour peindre ce type d'image et vos éventuelles préventions envers Photoshop s'évanouiront comme neige au soleil.

Estomper l'effet

Si vous n'avez effectué aucune opération après l'application de l'effet (la modification de la taille d'affichage ne compte pas), le menu **Filtre** comporte une commande très pratique : **Estomper**.

Elle vous permet de modifier l'opacité de l'effet ainsi que le mode de recouvrement. La réduction de l'opacité permet de mieux faire apparaître l'image d'origine et de produire des résultats intéressants.

La réduction de l'opacité à *70 %* permet de mieux reconnaître les détails de l'image.

Cette fonction vaut la peine d'être testée.

Répéter un filtre

Vous n'êtes pas obligé de vous en tenir à un seul essai. Vous pouvez appliquer plusieurs fois le filtre à l'image avec les mêmes réglages ou des réglages différents.

Il est plus facile d'utiliser les mêmes réglages pour la même image ou pour une image différente. Il vous suffit alors de sélectionner la première commande du menu **Filtre** car elle correspond au dernier filtre utilisé. La répétition du filtre est encore plus rapide avec le raccourci clavier Ctrl + F.

Nous avons répété une fois l'effet pour faire un essai sur l'illustration de gauche et une seconde fois sur l'illustration de droite.

Mauvaise image à cause de la répétition

Cette méthode de répétition du filtre n'est pas recommandée pour tous les filtres. Certains filtres, tels que le filtre d'accentuation, produisent des images très mauvaises.

Exemples d'utilisation de différents filtres

Nous allons examiner quelques filtres intéressants dans les différentes catégories et leurs effets sur plusieurs images.

Nous avons choisi des filtres qui nous plaisaient plus particulièrement. Comme un livre entier pourrait être consacré aux filtres, nous avons dû opérer une sélection.

Certains filtres sont uniquement intéressants avec certains types d'images et nous allons vous montrer quels types d'images permettent d'obtenir les meilleurs résultats. Vous pourrez alors appliquer l'effet des filtres à d'autres images en fonction des réglages proposés.

Le filtre Contours/Contour encré

Ce filtre permet de créer une image ressemblant à un dessin à l'encre de couleur. L'image de départ doit être contrastée et contenir de nombreux détails. Le filtre ne présente aucun intérêt s'il n'y a pas de détails car rien ne peut être tracé.

Notre calèche remplit ces conditions.

Les réglages illustrés permettent d'obtenir un résultat intéressant. Plus la valeur *Clair* est élevée, plus le résultat est clair.

Le filtre Rendu/Eclairage

Ce filtre cache une fonction très complexe que nous allons vous présenter à l'aide d'un petit exemple.

Comme image de départ, nous utilisons un texte que nous avons modifié en lui appliquant d'autres couleurs et effets de calque afin de ne pas nous répéter.

Nous n'avons pas besoin de vous présenter les étapes nécessaires car vous les avez apprises au chapitre précédent.

Nous allons modifier le fond de l'image à l'aide du filtre **Eclairage**.

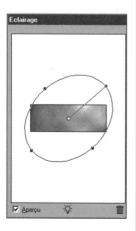

1 Comme le calque du fond a été modifié lors des étapes préalables, nous en créons tout d'abord une copie afin de pouvoir atteindre la version précédente après les modifications. C'est utile pour essayer plusieurs types d'éclairage.

Pour créer rapidement une copie, cliquez sur le calque dans la fenêtre **Calques** et faites-le glisser sur l'icône de la feuille de papier.

Une copie est automatiquement créée et placée au-dessus de l'original. Photoshop lui donne un nom afin de l'identifier.

2 Sélectionnez la commande **Filtre/ Rendu/Eclairage** (le calque de la copie doit être activé).

Une boîte de dialogue très complexe s'affiche.

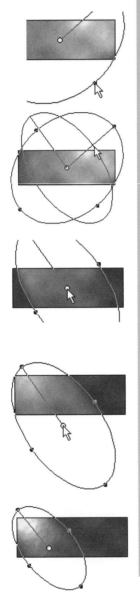

3 Nous allons modifier les réglages par défaut.

4 Les réglages sont effectués dans l'aperçu. Vous pouvez y voir un ovale : il symbolise le halo lumineux fictif. Cliquez sur l'une des poignées et maintenez le bouton de la souris enfoncé.

5 Placez la forme extérieure de la source lumineuse comme illustré ci-contre.

6 Cliquez sur le point central pour déplacer l'ensemble de la source lumineuse.

Ensuite, maintenez le bouton de la souris enfoncé et placez la lumière à l'emplacement requis.

7 Nous avons déplacé l'ampoule de sorte que la lumière éclaire l'image à partir de l'angle supérieur gauche.

8 Une fois la lumière correctement placée, nous modifions la sphère lumineuse.

9 Outre la position de l'ampoule, il est également possible de modifier le type de source lumineuse à partir de la zone de liste *Type* et des deux curseurs.

La règle *Intensité* permet de définir la clarté de la lumière et la règle *Cône* définit l'adoucissement de la lumière sur les bords de la zone éclairée.

Disposer de nouvelles ampoules

L'éclairage n'est pas nécessairement limité à une seule ampoule. Il est possible de placer plusieurs ampoules ayant différents réglages dans l'image.

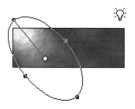

1 Une icône représentant une ampoule se trouve sous l'aperçu. Cliquez dessus et faites-la glisser dans l'aperçu en maintenant le bouton de la souris enfoncé. La nouvelle ampoule est mise en place lorsque vous relâchez le bouton de la souris.

2 Les propriétés de l'ampoule sont modifiées comme décrit plus haut.

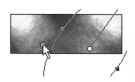

3 Seul le point central de la première ampoule est visible.

Si vous voulez modifier les propriétés de cette ampoule, vous devez tout d'abord l'activer en cliquant sur le point central. La sphère lumineuse est alors affichée, ce qui vous aide à identifier l'ampoule active.

Modifier les paramètres généraux de la lumière

Outre les options de la lumière, la boîte de dialogue comporte d'autres règles.

Ces réglages vous permettent de modifier les variables d'environnement générales. Les valeurs ne se rapportent pas aux différentes ampoules mais à l'ensemble de l'image.

La zone de couleur vous permet d'affecter une couleur à l'image.

De plus, il est également possible de modifier l'aspect de la surface en lui attribuant un effet plastique ou métallique.

Appliquer une texture

La dernière option est particulièrement intéressante pour conférer un aspect plastique au fond.

La zone de liste vous permet de définir la couche utilisée comme texture et la règle d'en définir la hauteur.

Enregistrer et charger les réglages

La partie supérieure de la boîte de dialogue comporte la rubrique *Style*. Vous y trouverez les réglages par défaut proposés par Photoshop. Essayez-en quelques-uns.

Si vous voulez sauvegarder vos réglages, cliquez sur le bouton **Enregistrer** et saisissez un nom dans la boîte de dialogue. La nouvelle entrée figure alors dans la liste.

Nous ne vous cacherons pas plus longtemps le résultat obtenu à partir des réglages illustrés.

Imprécision de l'aperçu

Ne vous étonnez pas si le résultat est légèrement différent par rapport à l'aperçu. Le calcul dans l'aperçu n'est pas très précis. Vous devez faire plusieurs essais afin d'obtenir un résultat optimal.

Appliquer une texture à l'image

Avez-vous déjà fait tirer une photographie sur un papier spécial ?

Vous pouvez obtenir ce type d'effet avec Photoshop en appliquant différentes textures à l'image. Nous allons tester ces effets sur ce paysage qui se prête parfaitement à ce type d'exercice.

1 Sélectionnez la commande **Filtre/ Textures/Placage de texture**.

2 Vous pouvez choisir l'une des quatre textures dans la zone de liste *Texture*.

3 La valeur *Echelle* grossit ou réduit le motif de la texture.

La zone *Relief* définit la hauteur de la texture par rapport à la surface de l'image. Le résultat des réglages illustrés est intéressant.

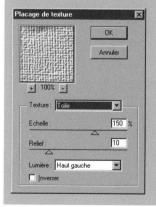

Les filtres de déformation

Les douze commandes du sous-menu **Déformation** permettent de transformer des images. Ainsi, vous pouvez créer un ventilateur en mouvement mais les filtres servent principalement à créer des images abstraites.

Nous allons faire des essais avec l'un de ces filtres.

1 Activez le dégradé *Chrome* de l'outil **Dégradé linéaire**.

2 Créez un dégradé de haut en bas dans un nouveau document.

Maintenez la touche (Maj) enfoncée afin d'obtenir une ligne d'horizon parfaitement droite.

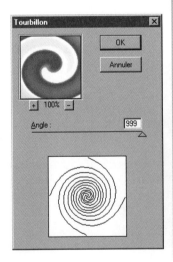

3 Créez une copie de ce calque pour récupérer l'image de départ.

Sélectionnez la commande **Filtre/Déformation/ Tourbillon**. Nous utilisons la valeur maximale même si ce réglage nécessite un temps de calcul assez long.

L'effet de cette déformation sur l'image est illustré dans l'aperçu inférieur. Une ligne horizontale et une ligne verticale y figuraient avant la modification.

4 Ce réglage produit une vague.

Faites une copie du calque avec ce résultat intermédiaire.

5 Appliquez de nouveau le filtre à la copie du calque à l'aide du raccourci clavier [Ctrl] + [F].

6 La copie des calques permet d'obtenir trois calques dans la fenêtre **Calques**.

7 Vous pouvez maintenant faire des expériences avec le mode de recouvrement des calques.

Nous avons défini le mode de recouvrement *Teinte* pour le calque supérieur...

... et nous avons obtenu ce résultat.

8 Il est possible d'obtenir d'autres variantes en modifiant l'une des images.

Nous avons fait un essai en activant le calque supérieur et en utilisant le raccourci clavier Ctrl + I afin d'inverser l'image de ce calque.

Vous pouvez également modifier les niveaux. Aucune limite n'est posée à votre créativité.

Faites autant d'essais que vous le désirez !

Le Flou gaussien

Si vous travaillez souvent avec Photoshop, vous utiliserez régulièrement un filtre dont les effets sont étonnants : le **Flou gaussien**.

Vous vous demandez sans doute quel intérêt il peut y avoir à rendre une image floue. Nous allons examiner les effets du filtre à l'aide d'un exemple.

1 Nous utilisons une image représentant un mur. En fait, le motif de départ est sans importance car il est méconnaissable à la fin des retouches.

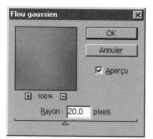

2 Sélectionnez la commande **Filtre/ Atténuation/Flou gaussien**.

Nous définissons une valeur extrêmement élevée. Il ne reste pas grand-chose de l'image…

… uniquement des taches.

Qu'allons-nous faire de cette image sans intérêt ? Vous pouvez l'utiliser de bien des manières. Jusqu'à présent, nous avons toujours créé des fonds à l'aide du filtre **Nuages**. À la longue, c'est un peu ennuyeux.

Examinons la manière dont vous pouvez utiliser cette image.

1 Nous plaçons un texte dans l'image avec la méthode habituelle et nous lui appliquons l'effet de calque ci-contre.

2 Nous obtenons ainsi l'image suivante.

Comme cet effet n'a pas tout à fait l'aspect requis avec les réglages d'origine, nous allons continuer à retoucher l'image.

Séparer des effets de calque

Les effets de calque ne doivent pas nécessairement être liés au calque correspondant.

1 Activez le calque de texte comportant l'effet de calque.

2 Sélectionnez la commande **Calque/Effet/Créer des calques**.

De nouveaux calques s'affichent alors dans la fenêtre **Calques**. Ils sont tous nommés de manière explicite.

L'image ne présente aucune différence.

INFO

Impossible de faire machine arrière avec la séparation des calques

Lorsque les effets de calque ont été séparés du calque, il est impossible de revenir sur cette décision. Vous ne pouvez pas non plus modifier l'aspect de l'effet. La seule solution est d'appliquer de nouveaux effets de calque.

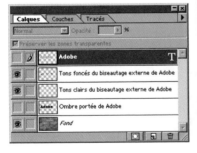

3 Il est intéressant de masquer quelques calques.

Ainsi, nous avons masqué le calque de texte et l'ombre portée...

et nous obtenons l'image suivante. Il semble que le texte se dégage du fond.

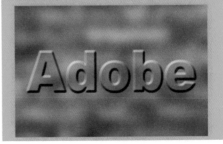

Nouveaux effets d'image par la modification des niveaux

Nous voulons rendre l'image encore plus intéressante en donnant davantage de brillance aux couleurs assez mates produites par l'image de départ.

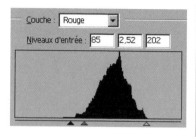

1 Activez le calque du fond et sélectionnez la commande **Image/Réglages/Niveaux**.

Activez la couche rouge dans la zone de liste *Couche* et modifiez les réglages comme illustré ci-contre.

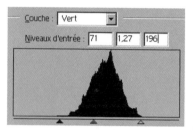

2 Modifiez successivement toutes les valeurs de couches de couleurs.

L'emplacement du triangle central est décisif pour la couleur obtenue.

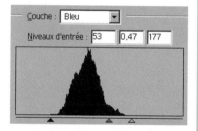

3 Comme nous avons fortement décalé ce triangle vers la droite dans la couche bleue, une image jaune est créée. L'augmentation du contraste est obtenue par le déplacement des triangles extérieurs.

Pensez à l'image de départ pour mieux apprécier le fruit de nos efforts. Cette méthode fonctionne en principe avec tous les modèles. Il est simplement important que l'image de départ présente des zones claires et foncées.

Résumé des filtres

Dans ce chapitre, nous n'avons pu vous présenter que quelques filtres. Ces exemples vous ont peut-être permis de constater que les filtres créent des effets très intéressants lorsqu'ils sont correctement employés. De plus, vous avez certainement remarqué qu'il est toujours préférable de faire des essais de réglages. L'utilisation inhabituelle de filtres permet souvent d'obtenir des effets étonnants, comme le montre notre dernier exemple. Pourrait-on soupçonner que cette image a été créée aussi rapidement et pourrait-on deviner son aspect premier ?

Encadrer une image

Vous venez de terminer une image et vous voulez l'encadrer ? Nous allons examiner ici les différentes possibilités d'encadrement.

1 Nous utilisons l'image d'une plume.

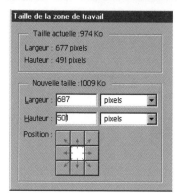

2 Pour créer un cadre, il convient en premier lieu de faire de la place afin qu'aucun détail de l'image ne soit perdu.

Sélectionnez la commande **Image/Taille de la zone de travail**.

Sélectionnez l'unité de mesure *pixels*, ce réglage permettant de créer un bord plus précis.

Agrandissez l'image de 10 pixels en hauteur et en largeur.

Les boutons *Position* vous permettent de définir la manière dont l'image créée doit être disposée avec les nouvelles mesures. Nous choisissons le bouton central.

3 L'image est alors agrandie aux dimensions spécifiées. Comme elle n'a pas été modifiée, elle est entourée d'une bordure.

La couleur d'arrière-plan courante est toujours utilisée pour la bordure.

Prélever des couleurs dans l'image

Si vous n'avez pas modifié les couleurs par défaut, l'image doit avoir une bordure blanche. Nous allons augmenter de nouveau la zone de travail en lui appliquant une autre couleur.

1 Dans la palette d'outils, cliquez sur la zone de couleur de droite.

2 Choisissez une couleur à l'aide du sélecteur de couleur qui s'affiche alors.

Néanmoins, vous n'êtes pas obligé de choisir la couleur dans le sélecteur. Vous pouvez également en prélever une dans l'image. Placez le pointeur de la souris sur l'image : il se transforme en pipette.

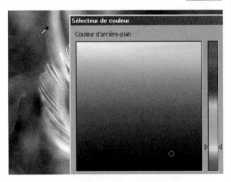

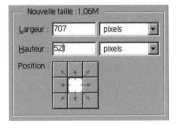

3 Cliquez sur l'emplacement contenant la couleur requise puis sur OK pour refermer la boîte de dialogue : cette couleur devient la nouvelle couleur d'arrière-plan.

4 Pour le second agrandissement de la zone de travail, nous augmentons la hauteur et la largeur de 20 pixels. La bordure verte doit être deux fois plus grande que la blanche.

5 Nous rétablissons ensuite les valeurs par défaut des couleurs de premier plan et d'arrière-plan. Il suffit d'appuyer sur la touche ⒟.

Comme le blanc est la couleur d'arrière-plan par défaut, nous devons permuter les couleurs en appuyant sur la touche ⓧ.

6 Nous augmentons de nouveau la zone de travail de quatre pixels.

C'est fini ! L'image est maintenant encadrée d'une triple bordure blanche, verte et noire. C'est la méthode la plus simple pour créer un cadre.

Un cadre coloré

Le prochain cadre est un peu plus travaillé et comporte une texture. Les étapes décrites sont identiques : la zone de travail est agrandie de 40 pixels et nous conservons la couleur de défaut de l'arrière-plan, en l'occurrence le blanc. La marche à suivre est la suivante :

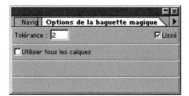

1 Activez l'outil **Baguette magique** en appuyant sur la touche ⓦ.

Dans la fenêtre d'options de l'outil, définissez une tolérance peu élevée comprise entre 2 et 5.

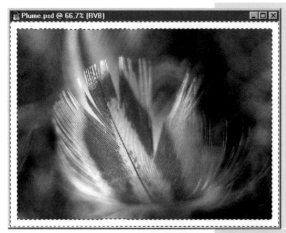

2 Cliquez dans la zone blanche afin de la charger comme zone de sélection.

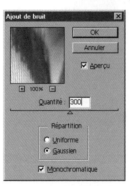

3 Insérez des points dans la zone de sélection à l'aide du filtre **Bruit/Ajout de bruit**.

4 Comme les points sont monochromes, nous allons les modifier.

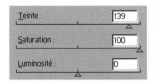

5 Nous allons tout d'abord les colorer à l'aide de la fonction **Image/Réglages/Teinte/Saturation**.

6 Pour conférer un peu de dynamisme à l'image, il convient de recourir à la fonction **Filtre/Atténuation/Flou directionnel** qui permet de rendre les points très flous.

Un angle de 45° permet d'obtenir des lignes montantes ; elles produisent un meilleur effet que les lignes descendantes.

La seconde variante de cadre est terminée.

Vous la trouvez plus jolie que la première ? Sachez que vous pouvez encore l'améliorer !

Appliquer un effet de calque à un cadre

Jusqu'à présent, les cadres que nous avons créés se trouvaient sur l'image de fond et les effets de calque s'appliquaient uniquement aux bordures extérieures.

La bordure doit maintenant être placée sur un calque distinct. À cet effet, vous pouvez utiliser la fonction **Calque/Nouveau/Calque par Couper**.

Cette fonction permet de supprimer du fond le contenu de la zone de sélection et de la placer sur un calque distinct. Le fond devient alors transparent à cet emplacement.

Il existe une autre alternative, à savoir la commande **Calque/Nouveau/Calque par Copier** qui ne modifie pas le contenu du calque du fond.

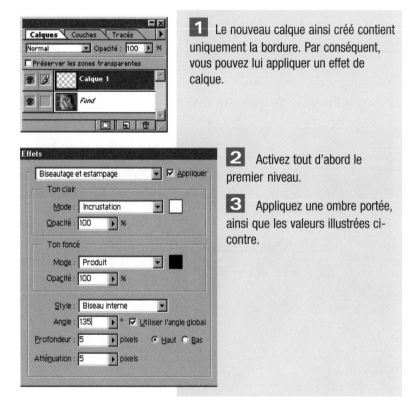

1 Le nouveau calque ainsi créé contient uniquement la bordure. Par conséquent, vous pouvez lui appliquer un effet de calque.

2 Activez tout d'abord le premier niveau.

3 Appliquez une ombre portée, ainsi que les valeurs illustrées ci-contre.

Nous avons défini une opacité de 100 % afin de renforcer l'effet.

Nous obtenons ainsi un nouveau résultat.

À partir de cet exercice, il est facile de créer de nouvelles variantes en modifiant les couleurs à l'aide de la fonction **Teinte/Saturation**, par exemple.

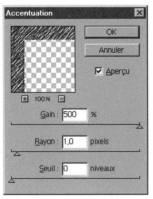

Vous pouvez ensuite renforcer la texture en appliquant le filtre **Renforcement/Accentuation** avec une valeur élevée.

Nous avons également modifié l'effet de calque. L'option *Estampage oreiller* produit une image entièrement différente.

Cadres déformés

Pour la dernière variante, nous voulons changer de type de bordure. Nous allons continuer à retoucher la bordure que nous avons créée avant de la convertir en calque distinct.

1 Ce stade du développement est facile à récupérer : il suffit de rechercher l'entrée correspondante dans la palette **Historique**. Il est identifiable à son nom.

Cliquez sur l'entrée précédant cette action, puis procédez comme d'habitude.

2 Vérifiez que la bordure est sélectionnée.

Sélectionnez la commande **Filtre/ Déformation/ Océan** et définissez les réglages illustrés. Vous pouvez aussi essayer d'autres valeurs.

3 Les réglages illustrés produisent l'image suivante.

D'autres filtres de déforma- tion ou d'autres valeurs produiront autant de variantes.

Effacer le contenu des zones de sélection

Nous allons vous présenter une dernière solution au cas où la texture de la zone de sélection ne vous plaise pas ou que vous vouliez utiliser une autre couleur.

1 Procédez aux retouches avant la création du calque.

2 Appuyez sur la touche (Suppr). Comme la bordure est encore sélectionnée, le contenu de la zone de sélection est supprimé.

3 Appliquez de nouveau le filtre **Océan**.

Il existe naturellement d'autres méthodes de création de cadres ; nous avons choisi de vous présenter les plus simples et les plus intéressantes.

Imprimer des images

Après la retouche d'images, vient le temps de l'impression. Nous allons vous expliquer la marche à suivre. Photoshop n'offre pas énormément d'options pour l'impression mais soyons pragmatiques : c'est très bien ainsi car cela limite les erreurs !

1 Le menu **Fichier** comporte deux fonctions se rapportant à l'impression.

La commande **Fichier/Format d'impression** vous permet de définir les options d'impression.

■ À la rubrique *Imprimante*, vous pouvez choisir l'imprimante que vous voulez utiliser. Cette fonction est la même dans d'autres applications.

■ La rubrique *Papier*, qui existe également dans d'autres programmes, permet de définir la taille du papier.

■ La rubrique *Orientation* ne vous est pas non plus inconnue. Vous pouvez y définir l'orientation verticale ou horizontale du papier.

■ En revanche, la rubrique inférieure de la boîte de dialogue comporte quelques options propres à Photoshop. Le bouton **Trames** vous permet de modifier les réglages des trames. L'impression en couleur s'effectue en effet à l'aide de trames. Celles-ci sont visibles lorsque vous observez une impression à l'aide d'un compte-fils.

■ Si vous rencontrez des problèmes lors de l'impression, cliquez sur le bouton **Transfert** : vous obtiendrez des informations opportunes. Comme l'impression sur une imprimante à jet d'encre couleur est toujours un peu trop sombre, vous pouvez en modifier la luminosité et le contraste. Les commandes ressemblent
à celles des courbes de gradation qui se trouvent dans le menu **Image/Réglages**. Toutefois, les réglages exécutés ici ne modifient pas les données de l'image mais uniquement l'impression.

■ Grâce au bouton **Fond**, vous pouvez définir une autre couleur de fond. Par défaut, le fond est blanc.

■ Les boutons **Cadre** et **Marge** permettent de régler le cadre ou de définir la taille de la zone imprimée.

■ Avec les options figurant à droite, vous imprimerez des aides, tels que les *Traits de coupe* et une *Gamme de nuances* afin de contrôler l'impression.

Une fois les réglages effectués, vous pouvez de nouveau examiner l'image.

2 Si vous voulez connaître la taille de l'image en fonction de la taille de papier définie, vous pouvez cliquer dans la barre d'état à côté de la petite flèche en maintenant le bouton de la souris enfoncé.

La zone symbolise la taille du papier et le rectangle, la taille de l'image.

3 Si vous préférez un affichage en pixel ou en centimètre, maintenez la touche [Alt] enfoncée en cliquant sur la barre d'état. Les informations s'affichent alors dans un menu.

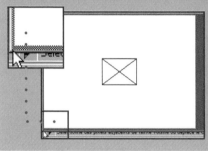

Largeur : 681 pixels (6,5 cm)
Hauteur : 492 pixels (4,7 cm)
Couches : 3 (Couleurs RVB)
Résolution : 266,114 pixels/pouce

Modifier la taille de l'image

Si vous pensez que l'image sera trop petite ou trop grande, vous pouvez en modifier la taille pour que l'impression en donne une juste représentation.

1 Sélectionnez la commande **Image/ Taille de l'image**. Les zones de la boîte de dialogue vous permettent de modifier tant la taille que la résolution de l'image. Lorsque vous réglez de nouvelles valeurs, vérifiez que l'option *Rééchantillonnage* est désactivée afin de ne pas réduire la qualité de l'image en en modifiant les données.

2 Le réglage de la résolution varie en fonction du périphérique sur lequel vous voulez imprimer le résultat.

Taille de l'image

Taille écran : 982 Ko

Largeur : 681 pixels

Hauteur : 492 pixels

Taille d'impression :

Largeur : 6,5 cm

Hauteur : 4,7 cm

Résolution : 266,114 pixels/pouce

☑ Conserver les proportions

☐ Rééchantillonnage : Bicubique

OK

Annuler

Auto...

Si le résultat doit, par exemple, être imprimé sur une imprimante à jet d'encre couleur, définissez une valeur d'environ 160 pixels/cm.

Avec une imprimante professionnelle, définissez une résolution de 300 pixels/cm, valeur standard des images de qualité.

3 Au lieu de modifier la résolution, vous pouvez régler de nouvelles valeurs de taille d'image. Photoshop calcule alors automatiquement la résolution correspondante.

Vérifiez toujours que la valeur figurant dans la zone *Résolution* n'est pas inférieure à la valeur optimale.

Si une image numérisée est trop petite, il arrive que la résolution recommandée ne soit pas suffisante pour la taille souhaitée. Il ne vous reste plus qu'à la numériser de nouveau !

En revanche, si la valeur est inférieure à la valeur optimale, l'image est de moins bonne qualité et de petits points risquent d'apparaître...

INFO Une résolution supérieure pour une meilleure qualité

Si après la modification de la taille, la valeur de la zone *Résolution* est supérieure à la valeur préconisée, ce n'est pas grave car vous obtenez ainsi une image plus riche en détails. Cependant, l'impression est un peu plus longue.

4 Une fois les réglages effectués, vous pouvez vérifier les proportions de l'image par rapport à la taille.

Cliquez sur la barre d'état pour afficher la nouvelle taille de l'image.

5 L'impression commence lorsque vous sélectionnez la commande **Fichier/Imprimer**.

La boîte de dialogue vous permet notamment de définir le nombre de copies.

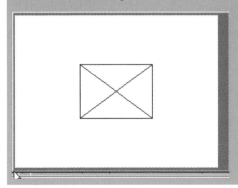

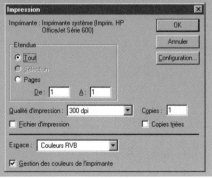

Impression trop sombre - que faire ?

Si, une fois l'image imprimée, vous constatez qu'elle ne correspond pas à ce que vous vous imaginiez, plusieurs sources d'erreur peuvent être envisagées.

Avez-vous configuré votre imprimante selon les recommandations du constructeur ? Si tel n'est pas le cas, remédiez à la situation. Si vous ne savez pas comment procéder, reportez-vous au manuel de l'imprimante.

En revanche, si l'image est correctement configurée et que les impressions sont correctes à partir d'autres programmes, vous devez rechercher la cause des erreurs dans les réglages de Photoshop.

Votre moniteur affiche-t-il correctement l'image ? Si tel est le cas et que les réglages du moniteur sont corrects, vous devez modifier l'impression en cliquant sur le bouton **Transfert**, comme décrit ci-dessus. Faites plusieurs essais jusqu'à ce que vous trouviez les réglages corrects.

INFO

L'image est-elle trop foncée ou les réglages sont-ils erronés ?

Si vous ne savez pas si l'image est trop foncée ou si les réglages sont erronés, importez l'image dans un autre programme, un traitement de texte par exemple. Si elle y est parfaitement imprimée, cela signifie que les réglages de Photoshop ne sont pas corrects. Si l'image est encore trop sombre, vous devez la retoucher à l'aide des méthodes d'optimisation décrites au chapitre *Améliorer rapidement la qualité de l'image*.

Conception Web avec ImageReady

Dans ce chapitre, nous allons apprendre à agencer des boutons et à créer des animations avec le logiciel ImageReady.

Ce programme est maintenant livré en standard avec Photoshop, alors qu'il fallait jusqu'ici l'acheter séparément. Nous allons donc apprendre à l'exploiter mais, auparavant, nous devons bien évidemment l'installer.

Démarrez ImageReady

Comme pour la plupart des programmes, Il y a plusieurs façons de démarrer ImageReady. Si vous avez déjà chargé Photoshop, le plus simple est de cliquer sur le bouton afférent, au bas de la boîte à outils.

La deuxième façon de lancer ImageReady depuis Photoshop passe par la commande **Fichier/ Passer à/Adobe ImageReady 2.0**, ou par la combinaison de touches Maj+Ctrl+M.

Enregistrement automatique

L'image préalablement chargée dans Photoshop est d'emblée reprise dans ImageReady lors du basculement vers ce programme. Il faut donc impérativement enregistrer le fichier avant de procéder à ce transfert. Inutile pour autant de fermer l'image dans Photoshop. Après édition dans ImageReady, vous pouvez revenir à Photoshop. Là encore, l'enregistrement préalable est indispensable.

La variante en solo

ImageReady peut également être exploité de façon indépendante, sans passer par Photoshop. Cependant, vous ne disposez alors plus des fonctionnalités spécifiques à ce dernier.

Lancez dans ce cas ImageReady par le menu **Démarrer**. Vous trouverez son icône dans le groupe Photoshop 5.5.

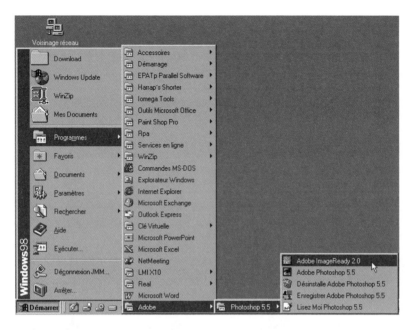

Après le démarrage, vous vous retrouvez de suite en terrain familier : les interfaces de Photoshop et d'ImageReady sont en effet très similaires.

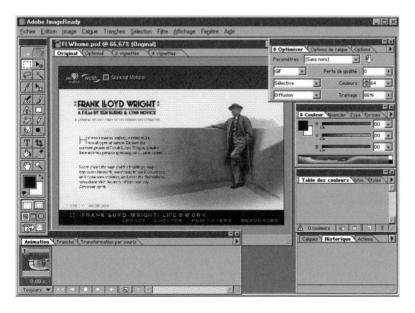

Les différents affichages d'optimisation

Une disparité importante apparaît cependant tout de suite : au-dessus de la fenêtre d'image, se trouvent 4 onglets. Ils sont nommés **Original**, **Optimisé**, **2 vignettes** et **4 vignettes**.

Comme on pourrait s'y attendre, l'onglet **Original** propose... l'image originale. C'est l'affichage auquel vous êtes confronté dans Photoshop.

Cliquez sur l'onglet **Optimisé** pour visualiser l'image avec les options d'optimisation actuelles. Cette optimisation permet d'exporter l'image dans l'un des formats pris en charge par le Web : JPEG, GIF ou le nouveau format PNG.

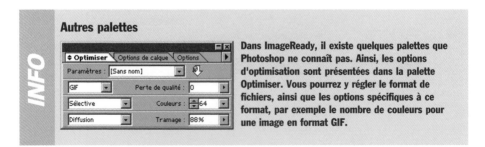

INFO

Autres palettes

Dans ImageReady, il existe quelques palettes que Photoshop ne connaît pas. Ainsi, les options d'optimisation sont présentées dans la palette Optimiser. Vous pourrez y régler le format de fichiers, ainsi que les options spécifiques à ce format, par exemple le nombre de couleurs pour une image en format GIF.

Comparez des images

Il est souvent intéressant de comparer plusieurs versions d'une même image. Vous pouvez ainsi juger qui, du format GIF ou JPEG, produit le meilleur résultat. De la même façon, cette fonctionnalité permet de juger de divers nombres de couleurs pour une même image GIF.

Pour effectuer cette comparaison, inutile de créer plusieurs images, comme il est d'usage dans Photoshop. Cliquez simplement sur l'onglet **4 vignettes** : la première image correspond à l'original.

Pour comparer l'original avec la seule version optimisée, vous pouvez opter pour l'onglet **2 vignettes**. Dans ce cas l'original est placé à gauche.

Sous chaque vignette, sont indiqués les paramètres en vigueur pour l'optimisation. Pour modifier les paramètres d'une vignette, cliquez sur la version concernée, et procédez aux réglages qui s'imposent dans la palette **Optimiser**.

Temps d'attente

Lorsque vous modifiez les paramètres d'optimisation, l'affichage est automatiquement actualisé, ce qui peut prendre un certain temps, surtout avec une grande image.

Un bouton, vite fait

Dans ImageReady, il existe une autre palette indisponible dans Photoshop. Il s'agit de la palette **Styles**. Nous allons découvrir, sur la base d'un exemple concret, comment l'exploiter.

1 Il nous faut d'abord un modèle. Nous utiliserons à cet effet un texte à placer sur un bouton.

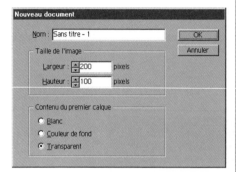

2 Créez un nouveau document au moyen de la commande **Fichier/Nouveau**, ou en composant la combinaison de touches [Ctrl]+[N]. Voici les paramètres employés pour ce document. Nous avons opté pour un arrière-plan transparent ; la taille du document n'a pas d'importance.

3 Après validation, le nouveau document est créé.

4 Dans la palette **Calques**, notez qu'il n'y a pas d'arrière-plan dans ImageReady.

Créer le texte

La création de texte dans ImageReady s'effectue de la même façon que dans Photoshop.

1 Activez l'outil **Texte** dans la boîte à outils.

2 Les paramètres sont définis dans la palette **Type**. La boîte de dialogue habituelle dans Photoshop n'existe pas dans ImageReady.

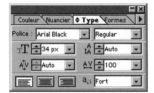

3 Cette illustration montre les paramètres que nous avons adoptés.

4 Après définition des attributs de texte, cliquez dans le document : le texte y est saisi directement.

5 ImageReady crée automatiquement un nouveau calque de texte, dès que la saisie est terminée. Cela permet d'éditer le texte comme dans votre programme de traitement de texte.

Définition de la couleur

Le texte saisi adopte automatiquement la couleur de premier plan. Il est possible de changer ultérieurement cette couleur, en sélectionnant le calque de texte dans la palette Calques et en désignant une autre couleur de premier plan.

Créez une forme de base

Après le texte, il nous faut une forme de base pour le bouton. Pour cela, ImageReady dispose également de nombreuses fonctions.

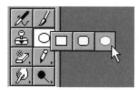

1 Dans le menu Flyout des formes de base de la boîte à outils, plusieurs formes sont proposées. Nous y avons sélectionné l'outil **Ellipse**. Les outils sont également accessibles par la combinaison de touches Maj+U. Notez par ailleurs la présence d'un outil rectangle à coins arrondis.

2 Cliquez, dans l'image, là où doit débuter l'ellipse. Maintenez le bouton de la souris appuyé.

3 Tracez l'ellipse : une ligne symbolise la taille et la forme en cours de dessin.

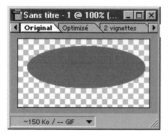

4 Lorsque la taille vous semble convenable, relâchez le bouton de la souris. ImageReady crée l'ellipse et la remplit de la couleur de premier plan active.

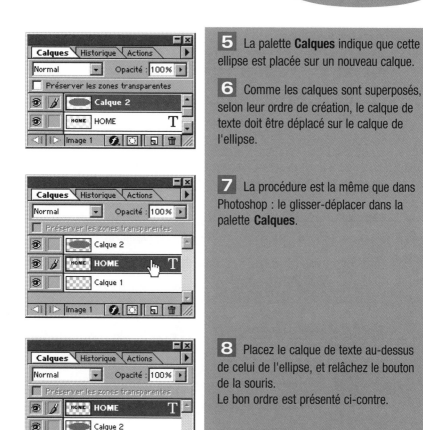

5 La palette **Calques** indique que cette ellipse est placée sur un nouveau calque.

6 Comme les calques sont superposés, selon leur ordre de création, le calque de texte doit être déplacé sur le calque de l'ellipse.

7 La procédure est la même que dans Photoshop : le glisser-déplacer dans la palette **Calques**.

8 Placez le calque de texte au-dessus de celui de l'ellipse, et relâchez le bouton de la souris.
Le bon ordre est présenté ci-contre.

Les effets de calque

Pour le moment, le résultat n'a rien d'extraordinaire, il n'y a rien à voir.

C'est pourquoi nous allons doter notre création d'effets de calque. Vous les avez certainement déjà manipulés dans Photoshop, mais ImageReady est encore plus puissant dans ce domaine. Voyons comment procéder.

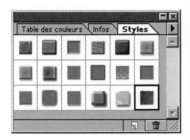

1 Affichez la palette **Styles**. Vous y trouverez un certain nombre de styles prédéfinis, livrés avec ImageReady.

2 Si vous avez du mal à reconnaître les petites pastilles, ouvrez le menu d'options d'un clic sur la flèche : vous y trouverez l'option **Grand Nuancier**.

3 Dans ce cas, seul le style actuel est affiché, ce qui permet de mieux juger des effets produits.

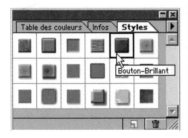

4 En affichage normal, vous pouvez prendre connaissance des noms des styles en plaçant le pointeur sur une pastille. Le nom apparaît dans une info-bulle.

5 L'affectation d'un style peut être réalisée de plusieurs manières. Un double clic sur le style l'affecte au calque actif.

6 Encore plus simple : le glisser-déplacer. Cliquez sur le style et maintenez le bouton de la souris appuyé.

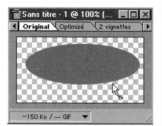

7 Faites glisser ainsi le style sur le calque auquel vous souhaitez l'affecter, par exemple celui de l'ellipse. Ce calque n'a pas besoin d'être sélectionné.

8 Après avoir relâché le bouton de la souris, le style est affecté. En voici le résultat.

9 Dans la palette **Styles**, vous trouverez des styles colorés et des styles gris. Parmi ces derniers, on recense quelques styles de boutons. Nous allons appliquer au texte le style *Bouton pourpre*.

10 Faites glisser ce style sur le calque de texte, pour obtenir le résultat suivant.

Styles gris

Si vous appliquez l'un des styles gris, la couleur du calque n'est pas modifiée ; il en va évidemment autrement avec les styles en couleur.

La structure d'un style

Après cet exercice rapide, voyons en détail de quoi se composent ces styles, car il n'est pas question de magie. Un coup d'œil sur la palette **Calques** livre le secret :

1 Sous les deux calques, vous trouverez les mentions *Effets*. Ces effets de calque sont affichés sous forme regroupée, contrairement à la présentation dans Photoshop.

2 Pour voir les effets appliqués au calque, cliquez sur le petit triangle en début de la ligne *Effets*. Pour l'ellipse, vous constaterez l'application de quatre effets différents.

3 Trois de ces effets vous sont connus de Photoshop, le dernier (*Dégradé/Motif*) est une spécificité d'ImageReady.

La signification des styles

Les styles ne sont rien d'autre que des combinaisons d'effets de calque. En appliquant plusieurs effets de calques, vous pouvez créer vos propres styles et les enregistrer, pour les réutiliser par la suite.

4 Pour modifier les paramètres d'un effet, cliquez sur son nom, par exemple sur *Ombre portée*.

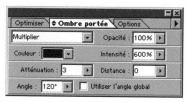

5 Après ce clic de sélection, la fenêtre de palette supérieure affiche la palette présentée ci-contre. C'est là que vous pouvez modifier les paramètres de l'effet. Pour les effets de calque, ImageReady ne dispose pas de boîte de dialogue ; c'est dans ces palettes que tout se fait et se défait. Nous espérons que les prochaines versions de Photoshop conserveront cette philosophie.

6 Avec certains effets, vous regretterez peut-être l'absence de certaines options, pour l'effet *Biseautage et estampage* par exemple.

7 Pour afficher l'ensemble des options dans la palette, cliquez sur la double flèche placée devant le nom de l'onglet. Cela a pour effet d'étendre la palette.

Combiner plusieurs effets de calque

Vous êtes surpris de voir qu'un effet d'ombre portée a été appliqué au calque de l'ellipse ? C'est vrai qu'il n'y a aucune ombre portée dans l'image !

Avant de poursuivre nos opérations, nous avons centré les deux calques, en reproduisant la technique déjà employée dans Photoshop : le sous-menu de la commande **Calques/Aligner les calques liés**.

1 Il n'y a pas d'ombre portée visible. Cependant, vous noterez la présence d'un contour. Comment est-il apparu ? Il n'y a pourtant pas d'effet correspondant !

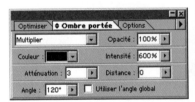

2 Cliquez sur l'effet *Ombre portée* dans la palette **Calques**. Vous découvrirez ainsi la raison de cette situation : un décalage de 0 et des valeurs extrêmes pour les paramètres.

3 Si vous définissez une valeur de 1 pour *Atténuation*...

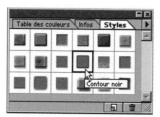

4 ... le contour est aminci.

5 Un effet analogue peut être obtenu pour le texte.

6 Pour cela, appliquez à ce calque de texte l'effet *Contour noir*.

7 Faites glisser ce style sur le calque de texte. Pour que les effets de calque déjà en place soient conservés, appuyez en même temps la touche [Maj]. Les styles sont ainsi additionnés.

Modifiez les paramètres d'effets

Les styles n'ont bien sûr rien de figé. Tous les effets de calques individuels formant le style sont modifiables à volonté. Après modification, vous pouvez enregistrer les paramètres personnels qui en découlent sous forme d'un nouveau style, dans la palette **Styles**. La commande d'enregistrement se trouve dans le menu d'options de la palette ; elle s'appelle **Nouveau style**.

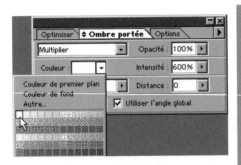

1 Nous allons modifier le contour du calque de texte. Cliquez sur le champ de couleur de la palette **Ombre portée** pour sélectionner le blanc.

2 Fixez également les valeurs *Intensité* à *300*, *Atténuation* à *2* et *Angle* à *135*.

3 Voici le résultat de ces nouveaux réglages :

Tronquez des parties de l'image

Au début de cet exercice, nous avons choisi volontairement des dimensions imprécises pour notre nouveau document. Nous allons maintenant rogner celui-ci pour ne conserver que la partie correspondant au bouton.

Pour ce travail, ImageReady propose une technique inconnue dans Photoshop.

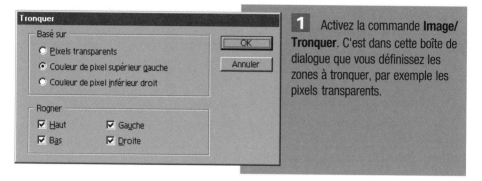

1 Activez la commande **Image/ Tronquer**. C'est dans cette boîte de dialogue que vous définissez les zones à tronquer, par exemple les pixels transparents.

INFO

Uniquement des zones rectangulaires

Le résultat est obligatoirement une zone rectangulaire. Cette fonction ne permet pas de créer des zones de forme libre.

2 Après validation des paramètres de l'illustration précédente, ImageReady rogne l'image de tous les côtés. Le résultat est présenté ci-contre.

Les paramètres d'optimisation

Lorsque le travail est terminé, il reste à enregistrer l'image. Mais quel format choisir ? Pour cet exemple, la décision est facile. Comme l'image contient des zones transparentes, seul le format GIF entre en ligne de compte : JPEG n'accepte pas les zones transparentes.

Les paramètres sont, là encore, définis dans une palette ; ImageReady n'intègre pas la boîte de dialogue de Photoshop.

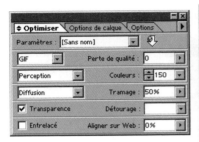

1 Les options sont les mêmes que dans Photoshop. Pour les visualiser toutes, cliquez sur la double flèche de l'onglet **Optimiser**.

2 Cette illustration montre les paramètres que nous avons appliqués. Notez que la case *Transparence* est cochée.

3 Pour déterminer le nombre de couleurs requises, la seule solution est de procéder à quelques expérimentations. Dans notre exemple, nous avons choisi une valeur de 150.

Surveillez bien les expérimentations

Pour juger des effets des modifications des paramètres, passez en affichage Optimisé. Cette fenêtre est actualisée à chaque modification de valeur.

Optez pour des paramètres prédéfinis ou enregistrez les paramètres personnalisés

Lorsque vous aurez déterminé les bons paramètres d'optimisation, sachez que vous pouvez les enregistrer pour exploitation ultérieure.

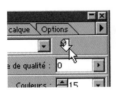

1 La palette **Optimiser** propose un bouton d'enregistrement des paramètres d'optimisation.

2 Un clic sur cette icône ouvre la boîte de dialogue suivante. Elle permet de créer un fichier exécutable, qui se présente sous forme de droplet (voir illustration ci-après).

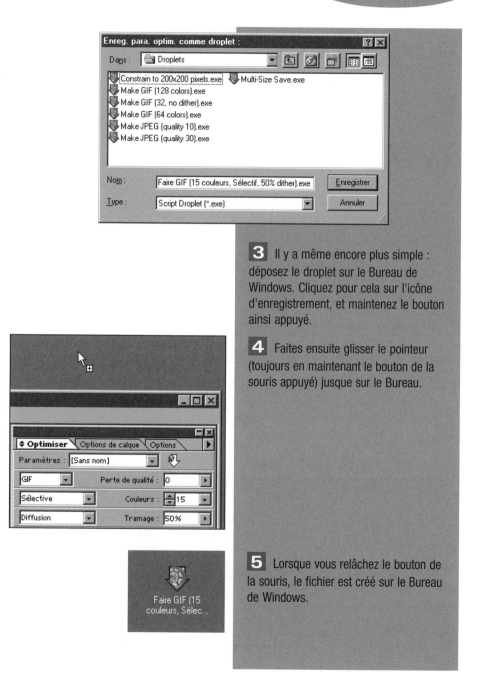

3 Il y a même encore plus simple : déposez le droplet sur le Bureau de Windows. Cliquez pour cela sur l'icône d'enregistrement, et maintenez le bouton ainsi appuyé.

4 Faites ensuite glisser le pointeur (toujours en maintenant le bouton de la souris appuyé) jusque sur le Bureau.

5 Lorsque vous relâchez le bouton de la souris, le fichier est créé sur le Bureau de Windows.

6 Si vous souhaitez convertir une série d'images à l'aide de ce droplet, il suffit de les faire glisser sur cette icône du Bureau les unes après les autres. ImageReady est automatiquement chargé et les images en question sont converties. Les images optimisées sont placées dans le même dossier que les images originales. ImageReady traite successivement toutes les images, par lot, ce qui peut prendre un certain temps.

7 Tous les droplets sont proposés dans la liste *Paramètres* de la palette **Optimiser**.

INFO

Droplet ? De quoi s'agit-il ?

Les valeurs que vous enregistrez par cette technique sont appelées des droplets. Ceux livrés avec ImageReady sont rangés dans le dossier *\Goodies\Adobe ImageReady Only\Droplets*. Il est conseillé d'y ranger également vos propres paramètres.

Enregistrement de la version optimisée

Lorsque les paramètres sont définis, il reste à enregistrer l'image. Avant de procéder à cette opération, une petite réflexion s'impose.

Si l'image est enregistrée en format GIF ou JPEG, elle ne se prête plus à des modifications ultérieures. D'où notre conseil : enregistrez-la également en format Photoshop PSD ; ainsi, vous conserverez la maîtrise des effets de calque.

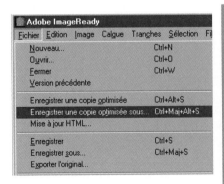

1 Les fonctions d'enregistrement de l'image originale et de la version optimisée se trouvent dans le menu **Fichier**. Activez la commande **Enregistrer une copie optimisée sous**.

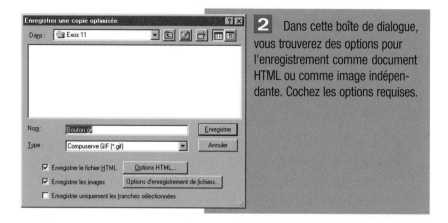

2 Dans cette boîte de dialogue, vous trouverez des options pour l'enregistrement comme document HTML ou comme image indépendante. Cochez les options requises.

INFO

Options complémentaires

Les boutons placés à côté des options permettent de modifier les préférences. Vous pouvez également instaurer ces préférences par la combinaison de touches Ctrl+K.

Concevez une bannière animée

Vous connaissez certainement les textes et les images animés ; ils sont fréquents sur les pages web que vous avez l'habitude de visiter.

Pour cet exercice, nous allons créer une de ces bannières avec ImageReady, ce qui nous permettra de découvrir deux effets de calques particulièrement intéressants.

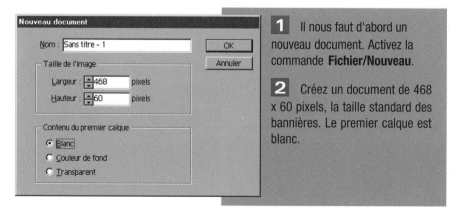

1 Il nous faut d'abord un nouveau document. Activez la commande **Fichier/Nouveau**.

2 Créez un document de 468 x 60 pixels, la taille standard des bannières. Le premier calque est blanc.

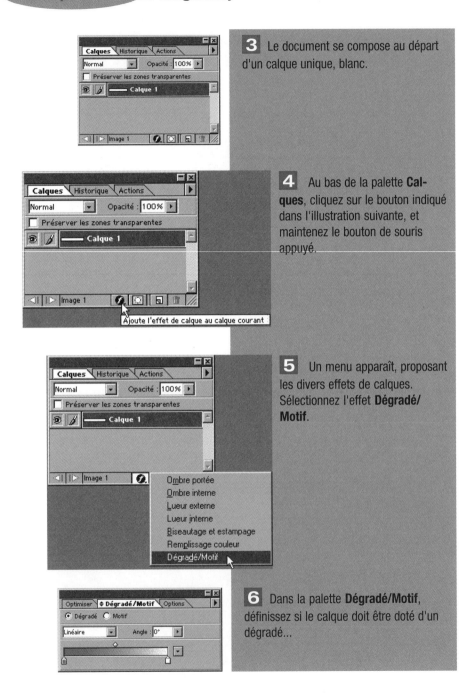

3 Le document se compose au départ d'un calque unique, blanc.

4 Au bas de la palette **Calques**, cliquez sur le bouton indiqué dans l'illustration suivante, et maintenez le bouton de souris appuyé.

5 Un menu apparaît, proposant les divers effets de calques. Sélectionnez l'effet **Dégradé/Motif**.

6 Dans la palette **Dégradé/Motif**, définissez si le calque doit être doté d'un dégradé...

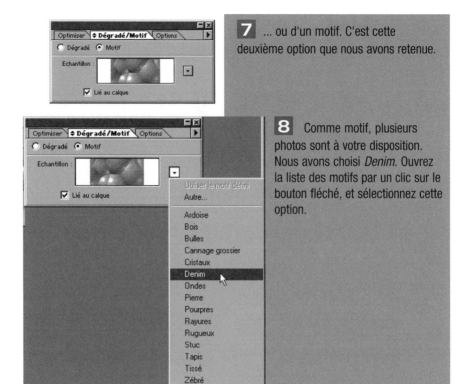

7 ... ou d'un motif. C'est cette deuxième option que nous avons retenue.

8 Comme motif, plusieurs photos sont à votre disposition. Nous avons choisi *Denim*. Ouvrez la liste des motifs par un clic sur le bouton fléché, et sélectionnez cette option.

Dossier de modèles

Les modèles livrés avec ImageReady se trouvent dans le dossier *Photoshop 5.5 Settings\Patterns*. Tous les fichiers qui se trouvent dans ce dossier sont affichés dans cette liste de motifs. Vous pouvez également y placer vos propres créations.

9 Après validation, voici comment tout cela se présente.

Une texture dans un texte

Ces effets de calque peuvent également être appliqués à n'importe quel calque, y compris un calque de texte.

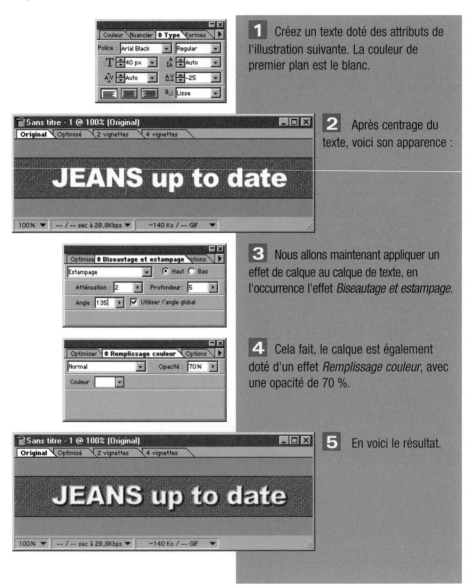

1 Créez un texte doté des attributs de l'illustration suivante. La couleur de premier plan est le blanc.

2 Après centrage du texte, voici son apparence :

3 Nous allons maintenant appliquer un effet de calque au calque de texte, en l'occurrence l'effet *Biseautage et estampage*.

4 Cela fait, le calque est également doté d'un effet *Remplissage couleur*, avec une opacité de 70 %.

5 En voici le résultat.

6 Pour finir, ce calque est doté du motif *Denim*.

7 Ce document va nous servir de base pour la bannière animée.

Utilisez les actions pour créer l'animation

Les animations, c'est-à-dire des images animées, sont réalisées par une astuce qui s'apparente à la technique des films de dessins animés. Il n'existe à vrai dire pas d'image animée : l'illusion de l'animation est créée par l'affichage successif d'images fixes, à intervalles rapprochés et réguliers.

Il reste évidemment à élaborer toutes les images individuelles, de sorte à produire cette illusion de mouvement. Heureusement, ImageReady est livré avec une série d'animations prêtes à l'emploi, qui vont nous faciliter la tâche.

1 Sélectionnez le calque de texte dans la palette **Calques**.

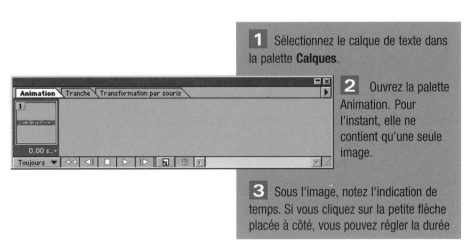

2 Ouvrez la palette Animation. Pour l'instant, elle ne contient qu'une seule image.

3 Sous l'image, notez l'indication de temps. Si vous cliquez sur la petite flèche placée à côté, vous pouvez régler la durée

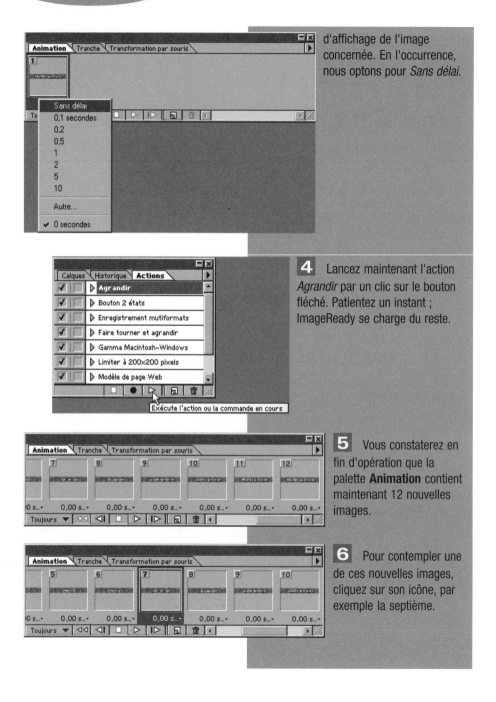

d'affichage de l'image concernée. En l'occurrence, nous optons pour *Sans délai*.

4 Lancez maintenant l'action *Agrandir* par un clic sur le bouton fléché. Patientez un instant ; ImageReady se charge du reste.

5 Vous constaterez en fin d'opération que la palette **Animation** contient maintenant 12 nouvelles images.

6 Pour contempler une de ces nouvelles images, cliquez sur son icône, par exemple la septième.

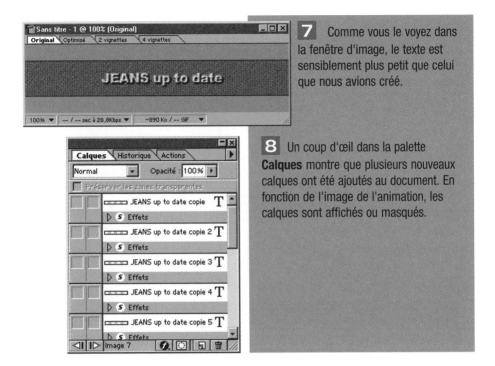

7 Comme vous le voyez dans la fenêtre d'image, le texte est sensiblement plus petit que celui que nous avions créé.

8 Un coup d'œil dans la palette **Calques** montre que plusieurs nouveaux calques ont été ajoutés au document. En fonction de l'image de l'animation, les calques sont affichés ou masqués.

Visualisez l'animation

Pour l'instant, il n'y a aucune animation à l'écran, tout est parfaitement immobile. Pour que cela devienne intéressant, il faut visualiser l'animation. Pour cela, plusieurs solutions s'offrent à vous :

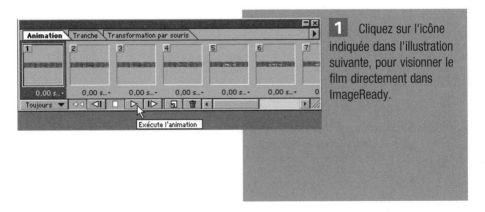

1 Cliquez sur l'icône indiquée dans l'illustration suivante, pour visionner le film directement dans ImageReady.

Dévoreur de mémoire

Vous pouvez visionner l'animation directement dans ImageReady, mais ce n'est pas conseillé. En effet, avec des animations volumineuses et complexes, la mémoire centrale est mise très fortement à contribution.

2 L'autre solution consiste à passer dans un navigateur Internet. Activez pour cela la commande **Fichier/Aperçu dans**, et sélectionnez votre navigateur préféré.

3 En conjonction avec l'animation, vous disposez également du code source HTML, généré automatiquement par ImageReady.

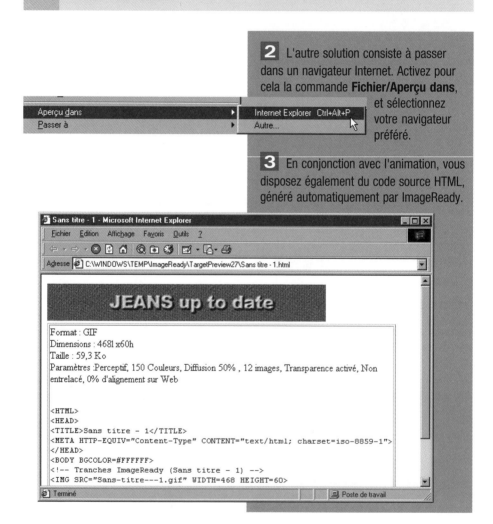

Dépannage

Que faire lorsque tout ne fonctionne pas comme prévu ? Dans ce dernier chapitre, nous avons réuni quelques problèmes que vous risquez de rencontrer en utilisant Photoshop.

Rien ne se produit !

C'est l'un des écueils les plus souvent rencontrés par les nouveaux utilisateurs de Photoshop. Les causes sont multiples ; examinons les plus fréquentes.

La plus simple : vérifiez toujours quel calque est actif. Les modifications s'appliquent uniquement à ce calque.

Si vous avez activé le calque du fond, comme sur l'illustration ci-contre, vous pouvez faire autant de modifications que vous le souhaitez : vous ne les verrez jamais !

En effet, un autre calque recouvre le fond. Les modifications que vous effectuez demeurent invisibles car elles sont masquées par le calque supérieur. De plus, vous ne devez pas oublier

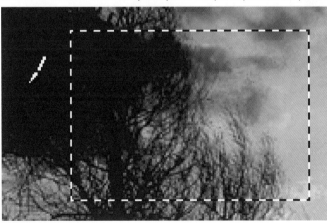

que vous pouvez uniquement retoucher les zones de sélection ; c'est précisément là le rôle des masques. Rien ne se produit si vous essayez de dessiner à l'extérieur d'un masque.

La sélection n'est pas affichée

N'oubliez pas que les zones de sélection peuvent aussi être masquées. Vous devez recourir à la commande *Affichage/Afficher le contour* pour les afficher de nouveau.

Il se peut que la cause de vos problèmes soit encore plus simple ! N'auriez-vous pas effectué des modifications insignifiantes lors de l'utilisation des filtres ou bien l'opacité d'un calque ne serait-elle pas trop basse ? Vérifiez ces deux possibilités.

Où est la zone de sélection ?

Comme nous l'avons souligné, les zones de sélection ne sont pas nécessairement affichées mais elles s'appliquent même si elles sont masquées.

Vérifiez que la zone de sélection n'a pas été masquée par mégarde en appuyant sur le raccourci clavier Ctrl + H.

 La fenêtre **Couches** vous permet de vérifier que vous n'avez pas supprimé la sélection à l'aide de la commande **Sélection/Désélectionner** ou du raccourci clavier Ctrl + D.

Lorsque la sélection est mémorisée, un aperçu s'affiche dans la fenêtre **Couches**.

Où est le pointeur de la souris ?

 Normalement, un pointeur dont l'icône correspond à l'outil utilisé doit s'afficher. Vous savez ainsi quel outil est sélectionné.

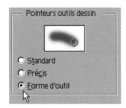

La commande **Fichier/Préférences/ Affichage et pointeurs** vous permet de choisir d'afficher la forme de l'outil au lieu de son icône.

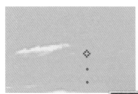

Il arrive parfois que cette option ne vous permette pas de distinguer correctement le pointeur de la souris dans l'image car la forme d'outil choisie est trop petite. C'est ce que montre l'illustration où nous avons défini la plus petite forme d'outil d'un pixel.

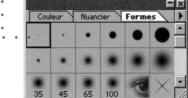

Impossible de retoucher l'image !

Le pointeur de la souris représente un signe d'interdiction et vous ne pouvez entreprendre aucune opération sur l'image !

Vous avez sans doute activé un calque masqué, comme dans l'illustration.

Les calques qui ne sont pas affichés ne peuvent pas être retouchés car vous devez voir ce que vous faites.

Des commandes ne sont pas disponibles

Seules certaines commandes sont disponibles dans les menus. Toutes les autres sont grisées et ne peuvent pas être sélectionnées.

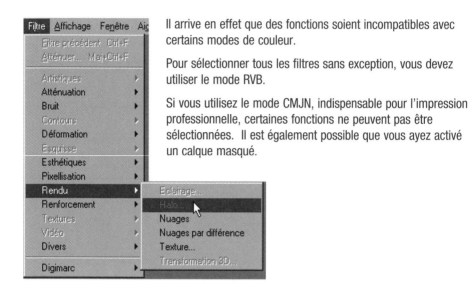

Il arrive en effet que des fonctions soient incompatibles avec certains modes de couleur.

Pour sélectionner tous les filtres sans exception, vous devez utiliser le mode RVB.

Si vous utilisez le mode CMJN, indispensable pour l'impression professionnelle, certaines fonctions ne peuvent pas être sélectionnées. Il est également possible que vous ayez activé un calque masqué.

Où sont les modules supplémentaires ?

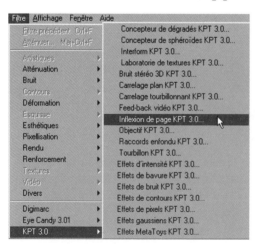

Si les fonctions de Photoshop ne vous suffisent pas, vous pouvez vous procurer des modules plug-ins.

Ces modules sont placés à la fin du menu **Filtre** dans différents sous-menus figurant sous le trait de séparation.

Les plug-ins les plus connus sont les Power Tools de Kai Krause qui se caractérisent par leur étonnante interface utilisateur.

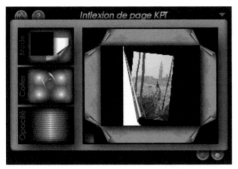

Ces fonctions supplémentaires n'apparaissent pas dans votre menu **Filtre** ? Vous n'en avez sans doute aucun d'installé !

Photoshop vous fournit quelques modules sur son CD-ROM afin que vous puissiez les tester.

Tous les modules supplémentaires sont réunis dans un dossier chargé au démarrage de Photoshop. Le dossier est défini sous la rubrique *Modules externes et disques de travail* des préférences.

La couleur du texte ne peut pas être modifiée

Vous avez créé un texte à l'aide de l'outil **Texte**.

Vous souhaitez en modifier la couleur mais la commande **Edition/Remplir** n'est pas disponible.

Le réglage des couleurs a en effet lieu dans la boîte de dialogue **Texte**.

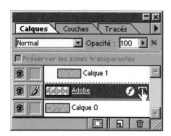

Double-cliquez sur l'icône de texte du calque dans la fenêtre **Calques** et définissez la nouvelle couleur dans la boîte de dialogue.

Redresser les images de travers

Vous n'avez pas fait attention et une image a été scannée de travers ! Si vous voulez la redresser avec grande précision, vous pouvez utiliser la commande **Image/Rotation de la zone de travail/Paramétrée**.

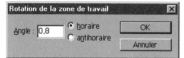

Il est possible de faire pivoter des images avec une précision allant jusqu'à un chiffre après la virgule. Les valeurs positives permettent de faire tourner les images vers la droite et les valeurs négatives vers la gauche.

Modifier la taille d'une fenêtre

Vous avez modifié la taille d'affichage d'une fenêtre à l'aide de l'outil **Loupe**, par exemple, et une bordure encadre alors l'image.

Pour modifier la taille de la fenêtre, vous pouvez recourir à la même méthode qu'avec les autres programmes Windows.

Il existe néanmoins une solution bien plus simple.

La fenêtre **Options de Loupe** comporte l'option *Redimensionner les fenêtres*. Lorsque cette dernière est activée, Photoshop modifie automatiquement la taille de la fenêtre lors de la modification de la taille d'affichage.

Modifier constamment la taille d'affichage

Vous utiliserez généralement l'outil **Loupe** pour modifier la taille d'affichage. Mais que faire lorsque vous constatez que la taille d'affichage ne convient pas et que vous êtes en train d'effectuer des réglages dans une boîte de dialogue ? Vous ne pouvez alors pas utiliser l'outil **Loupe** !

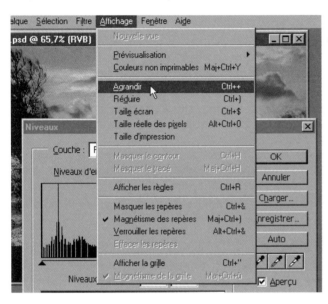

Une solution : le menu **Affichage** comporte de nombreuses commandes de modification relatives à la taille d'affichage. Vous pouvez les sélectionner lorsque vous effectuez des réglages dans une boîte de dialogue.

Répéter une commande

Vous avez besoin d'exécuter la même commande pour deux images : vous souhaitez en effet les redimensionner pour qu'elles aient exactement les mêmes dimensions. Dans ce cas, vous devez recourir aux scripts.

1 Sélectionnez la commande requise dans la palette **Scripts**. Cliquez sur l'icône de la feuille de papier pour créer un nouveau script.

2 Photoshop active alors le mode d'enregistrement de script.

3 Recadrez la première image à la taille requise.

4 Cliquez sur le bouton comportant un carré afin d'interrompre le script.

5 Activez la deuxième image. Lancez le script enregistré en le sélectionnant, puis en cliquant sur le bouton de lecture.

Le disque dur est plein

Un message d'erreur apparaît pour vous signaler que le disque dur est plein.

Les nouveautés de Photoshop 5 en sont la cause ! Les fonctions d'annulation sont certes fort pratiques mais elles occupent beaucoup d'espace. Si vous retouchez de grandes images, ce type de message d'erreur s'affichera rapidement.

Sélectionnez la commande **Options d'historique** de la fenêtre **Historique**. Réduisez la valeur *Etats historiques maximum*. Le réglage par défaut *20* signifie que vous pouvez annuler les 20 dernières actions.

INFO

Vider l'historique

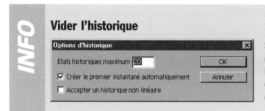

Si vous ne voulez pas annuler les 20 dernières actions, vous pouvez sélectionner la commande *Effacer l'historique* dans les options. Vous libérez ainsi la mémoire d'échange sur le disque dur.

Enregistrer les couleurs

Vous avez créé une belle couleur à l'aide du **Sélecteur de couleurs** et vous aimeriez que cette couleur soit disponible dans d'autres sessions Photoshop.

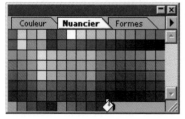

Affichez la palette **Nuancier** et placez le pointeur de la souris après la dernière entrée. Une icône de pot de peinture s'affiche.

Cliquez pour insérer la couleur dans le nuancier.

Des repères non magnétiques

Vous avez défini des repères pour faciliter la disposition d'objets mais ces repères ne sont pas toujours magnétiques.

Pour que les repères soient magnétiques, vous devez activer la commande **Affichage/ Magnétisme des repères**. Il en va de même pour la grille dont le magnétisme est activé à l'aide de la commande **Affichage/Magnétisme de la grille**.

Supprimer les repères

Pour supprimer tous les repères de l'image, vous pouvez utiliser la commande **Affichage/Effacer les repères**. Si vous voulez uniquement supprimer quelques lignes, activez l'outil **Déplacement**.

Placez le pointeur de la souris sur un repère et cliquez.

Ensuite, faites glisser le repère dans la règle en maintenant le bouton de la souris enfoncé. Le repère disparaît.

Les assistants

Photoshop vous propose deux assistants que vous pouvez activer à partir du menu **Aide**. L'un vous aide à redimensionner une image et l'autre à créer des images transparentes.

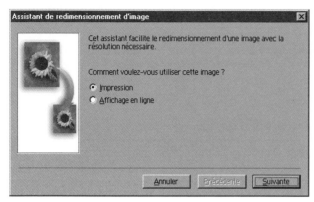

Les assistants vous posent toutes les questions nécessaires dans différentes boîtes de dialogue. Cliquez sur le bouton **Suivante** pour passer d'une boîte de dialogue à une autre.

Lorsqu'il est impossible de trouver la solution

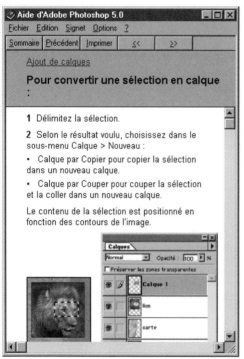

Dans l'hypothèse où vous vous retrouveriez devant un problème insoluble (ce qui est fortement improbable après la lecture de cet ouvrage), vous pouvez consulter l'Aide de Photoshop à partir du menu **Aide**.

Les explications sont étayées d'illustrations et valent toujours la peine d'être consultées.

Index

A

B

C

Index

G

H

I

J

L

M

Index

IMPRESSION, BROCHAGE
IMPRIMERIE CHIRAT
42540 ST-JUST-LA-PENDUE
JANVIER 2000
DÉPÔT LÉGAL 2000 N° 8723

IMPRIMÉ EN FRANCE